Melle
& de
zwerf-
honden
de
Honden
dief

Eerder verscheen van Maaike van Poelje bij Pimento:

Melle & de zwerfhonden – Het Spaanse gif

Maaike van Poelje

Pimento

www.uitgeverijpimento.nl

www.maaikevanpoelje.nl

Omslagbeeld Getty Images/Compassionate Eye Foundation/
Jetta Productions

Omslagontwerp twelph.com

Opmaak binnenwerk Peter de Lange

Beeld binnenwerk Maaike van Poelje, Michiel Curfs, Hunde Aus Andalusien

ISBN 978 90 499 2442 3

NUR 282

Pimento is een imprint van FMB uitgevers bv

Voor onze lieve, mooie, sterke Migo
We missen je

En voor Boesjka en Liberto

Bekend

'Goedemorgen, luisteraars! Welkom bij het programma *Koffie verkeerd*! Als u net hebt ingeschakeld, dan hebt u geluk, want het beluurtje is zojuist begonnen! We hebben vandaag een heel speciale gast in de studio. Jullie hebben vast allemaal al van hem gehoord. Het is niemand anders dan Melle de Vriend, de jongen die met honden kan praten! Goedemorgen, Melle! Leuk dat je er bent!'

'Dank je wel, Joris. Ik vind het ook leuk om hier te zijn.'

'Goed zo, dat horen we graag! Zeg, Melle, we hebben de laatste weken veel over je kunnen lezen; hoe je in Spanje hebt geholpen om zwerfhonden te redden, en natuurlijk hoe je bevriend bent geraakt met een van die zwerfhonden. Hoe heet die hond ook alweer? Was het niet "Makker"?'

'Makker? Nee, ze heet Stakker. Tenminste, zo heb ík haar genoemd. Omdat ze er zo zielig uitzag toen ik haar net leerde kennen.'

'Geweldig, geweldig! En Stakker is met je mee teruggekomen naar Nederland, nietwaar? Dat noem ik nou een happy end van zo'n avontuur, ja toch, luisteraars? Wat een bijzondere jongen is deze Melle de Vriend! Hij kan met honden praten! Als jullie nog speciale vragen hebben voor Melle, dan kunnen jullie nú naar de studio bellen! Melle blijft het laatste uur van de uitzending nog bij ons en is bereid om ál jullie vragen te beantwoorden. Ja, toch, Melle?'

'Ehm, ja hoor, dat is goed.'

'Jullie horen het, luisteraars! Dus grijp je kans en pak nu de telefoon! Wil je alles weten over hoe Melle met honden kan praten en over hoe hij de honden in Spanje heeft gered, draai dan nu het bekende nummer: zes, vijf, zes, vijf, zes, vijf!'

'Doewaah doewaah, dit is *Koffie verkeerd* voor iedereen! Doewaah doewaah!'

Als de vrouwenstemmen zijn uitgezongen zet Joris, de presentator van het programma *Koffie verkeerd*, de microfoon uit. Tegelijkertijd schuift hij met zijn andere hand een hendeltje naar boven dat ergens tussen alle knopjes, kabeltjes en knipperende lichtjes zit. Dan klinkt er een topveertighit uit de boxen. Melle tikt met zijn voeten mee op de bekende klanken en kijkt ondertussen nieuwsgierig naar alles wat er om hem heen gebeurt. Het is de eerste keer dat hij in een radiostudio zit. Zo wordt dus een radioprogramma gemaakt! denkt hij.

Het ziet er wel geinig uit, één persoon die steeds in een microfoon praat met een koptelefoon op zijn hoofd en heel veel apparaten om zich heen. Zo stelt hij zich een piloot in een vliegtuig voor.

'Hé, Melle, we hebben de eerste beller aan de lijn!' De stem van Joris klinkt door de koptelefoon die Melle bij het begin van het programma op zijn hoofd gezet kreeg door Nicole, de assistente. Melle knikt naar Joris en hoort hoe de muziek zachter gaat spelen.

'Melle, ik verbind je nu door,' zegt de stem van Nicole in zijn oor.

Klik.

'Hallo, spreek ik met Melle?' zegt een jongensstem.

'Ja, dat ben ik,' antwoordt hij. Het is net alsof hij een gewoon telefoongesprek voert, alleen dan met een veel helderder geluid.

'Ah, te gek zeg! Ik heb in de krant alles over je gelezen. Ik vind het super wat je hebt gedaan. Maar kun je me ook vertellen wat je trucje is?'

'Trucje? Hoe bedoel je dat?' vraagt Melle verbaasd.

'Nou, welke truc gebruik je om zogenaamd met honden te kunnen praten? Mijn vader heeft een hondenschool en hij heeft me geleerd hoe je honden kunt laten gehoorzamen. Zit, blijf, plaats; dat soort dingen. Maar wat jij met honden doet kan ik nog niet!'

Melle luistert met verwondering naar de jongen aan de andere kant van de lijn. Als maar niet alle bellers zulke stomme vragen gaan stellen!

Hij kucht even voordat hij antwoord geeft. 'Hm, hm. Sorry, maar ik kan je niet helemaal volgen. Ten eerste, ik gebruik geen trucje. Ik kan écht met honden praten. Het gebeurt gewoon. Soms praat ik met ze, soms kan ik hun gedachten lezen en zij de mijne. En een andere keer zie ik aan hun lijf wat ze voelen of denken. Het is elke keer weer anders.'

Hij wacht even maar gaat snel verder als hij aan de ademhaling van de jongen hoort dat hij hem in de rede wil vallen. 'Ten tweede moet je niet denken dat honden je gehoorzamen door bepaalde trucjes. Honden zullen doen wat jij van ze vraagt als ze je vertrouwen. Ze moeten respect voor je hebben, dat is het belangrijkste. Het hangt dus helemaal van jezelf af, je moet ze gewoon goed behandelen. Alsof het je beste vrienden zijn.'

Melle zegt het zonder te hakkelen, hij lijkt behoorlijk zeker van zijn zaak. De beller is onder de indruk en zwijgt. Die stilte duurt presentator Joris te lang.

'Goed gesproken, Melle! Horen jullie dat, luisteraars? Hij weet waar hij het over heeft. Trouwens, Melle, waar is jouw eigen hond nu? Waarom heb je Rakker niet meegenomen?'

'Stakker, ze heet Stákker.' Wat luistert die Joris slecht zeg, denkt Melle. Hoe moet dat verder, het komende uur? 'Stakker had geen zin om mee te gaan, ze wilde liever thuis blijven. Lieke, mijn zus, neemt haar vanmiddag mee naar het bos.'

Heel even wenst hij dat hij met Lieke zou kunnen ruilen; lekker met Stakker door het bos rennen, de geur van de bomen opsnuiven en samen een beetje spelen en gek doen. Hij heeft alleen niet lang de tijd om hieraan te denken. Joris steekt zijn hand waarschuwend in de lucht.

Er hangt alweer een volgende beller aan de lijn.

Een poedelgesprek

Melle wast zijn handen in het toilet van de radiostudio en bekijkt zichzelf in de spiegel. Zijn donkere lokken vallen half over zijn ogen, met zijn hand strijkt hij ze opzij. Sinds hij weer terug is in Nederland draagt hij bijna geen petjes meer. De zon schijnt hier niet zo fel als in Spanje. Een petje dragen voor de show om er zogenaamd stoer uit te zien, dat slaat nergens op, vindt hij. Je bént stoer of je bént het níét. Of je nu wel of geen pet draagt, een grote zonnebril op je neus hebt of een tattoo op je arm hebt laten zetten, dat maakt allemaal niks uit.

Ben ik eigenlijk stoer? vraagt hij zich af, en hij kijkt nog eens naar zichzelf in de spiegel. Hij haalt zijn schouders op. Geen idee! Als hij andere mensen mag geloven, is hij in elk geval wel bijzonder. Omdat hij iets kan wat anderen niet kunnen.

Is dat dan ook stoer?

Tok, tok!

Verschrikt kijkt hij om naar de deur waarop wordt geklopt.

'Ja...?' vraagt hij.

'Je vader staat op de stoep om je op te halen,' zegt Nicole, de radioassistente. 'Hij wacht beneden op je, bij de parkeerplaats.'

'Heb je geluisterd?' roept Melle zodra hij Koen, zijn vader, in het oog krijgt. Koen staat naast de auto en houdt het portier voor hem open.

'Uiteraard! Terwijl ik hierheen reed heb ik alles prima kunnen volgen. Je hebt je verhaal goed verteld hoor, mijn complimenten. Wat vond je er zelf van?'

Melle tuit zijn lippen en schudt zijn hoofd. 'Ach, het ging wel. Het was wel leuk om zoveel over ons avontuur te kunnen vertellen, maar er werden ook wel wat domme vragen gesteld.'

Melle stapt in de auto, hij gaat voorin zitten.

Tsjak!

Koen sluit het portier, loopt snel om de auto heen naar de bestuurdersplek en stapt in. 'Ach, wat is een domme vraag? Vergeet niet dat heel veel mensen geen idee hebben hoe het is om met honden om te gaan, laat staan om met ze te praten! Trouwens, dacht je dat het alleen maar leuk is om in de aandacht te staan?'

Terwijl zijn vader de auto start en wegrijdt van het parkeerterrein, denkt Melle na over deze vraag. Hij komt al snel tot een conclusie.

'Nee, ik wist vanaf het begin dat ik liever niet bekend wil zijn. Weet je nog, die eerste keer dat mijn foto in Spanje in de krant stond?' Melle rolt veelbetekenend met zijn ogen als hij eraan terugdenkt hoe de Spaanse fotograaf zijn vader en hem 's ochtends vroeg in hun pyjama had gefotografeerd. 'Dat vond ik toen ook al helemaal niet leuk!'

'Nee, maar toen heb je ze zelf een exclusief groot interview aangeboden!' zegt zijn vader.

Melle knikt. 'Dat klopt. Ik dacht, als ik dan toch in de krant kom, wil ik wel dat ze er een mooi verhaal van maken, met leuke foto's. Dus dan kan ik maar beter meewerken!'

Zijn vader knikt instemmend. 'Dat is ook zo. Maar had je gedacht dat het in Nederland ook nog door zou gaan, al die aandacht? En dat terwijl de school nog niet eens is begonnen, het is vakantie.'

Ze rijden de hoofdstraat door en staan stil voor een rood verkeerslicht. Melles aandacht wordt getrokken door een vrouw die een winkel uit komt met twee poedeltjes aan de lijn. Hij kan het niet laten en in zijn gedachten vraagt hij de hondjes: 'Vinden jullie dat leuk, zo shoppen met de bazin?'

De poedels beginnen luid te blaffen, de vrouw schrikt en kijkt nerveus om zich heen. Waarom zijn haar hondjes plotseling zo luidruchtig?

Melle grinnikt als hij hoort wat de poedels hem blaffend antwoorden: 'Ja joh, wat denk jij dan? In elke winkel krijgen we een koekje of knabbeltje van de mensen, alleen daarom al gaan we graag mee!'

'Doe jij dat, Melle?' Zijn vader haalt hem met een barse stem uit zijn concentratie.

'Wat bedoel je?' vraagt Melle gespeeld onschuldig, alsof hij geen idee heeft waar zijn vader op doelt.

Koen schudt zijn hoofd en wijst naar de poedels. 'Mij hou je niet voor de gek. Maar die mevrouw snapt er niks van! Niet netjes, Melle!'

Melle zwijgt. Koen heeft natuurlijk wel een beetje gelijk. Inwendig grinnikt hij toch nog een beetje na. Maar lollig was het wel!

Het licht springt op groen, en ze rijden de vrouw met de poedels voorbij. De hondjes zijn inmiddels weer rustig.

Melle kijkt nog steeds uit het raam, maar is met zijn gedachten alweer heel ergens anders. Hoe zou het thuis zijn, met zijn maatje? Hij popelt om Stakker weer te zien.

Onafscheidelijk

'*Oh woooo... I wanna be with you everywhere...*'

Wanneer Melle de deur van de woonkamer opent, galmt de muziek hem tegemoet. Lieke, natuurlijk!

'Stakker? Stakker, waar ben je?' roept hij hard om boven de muziek uit te komen. Hij hoeft niet lang te roepen. Opgewonden piepend en blaffend komt Stakker uit de keuken aangerend en ze springt hoog tegen Melle op. Haar staart gaat als een propeller heen en weer.

'Woehoooef! Melle, daar ben je eindelijk! Wat bleef je lang weg! Ik heb je gemist in het bos!'

Poeh! Als ze zo tegen hem opspringt is Stakker toch wel groot en zwaar! Melle moet zich aan de deur vasthouden om zijn evenwicht te bewaren.

Gelukkig weet Stakker heel goed wanneer haar enthousiasme wat te veel is. Al snel houdt ze op met springen en gaat ze netjes voor Melle zitten. Haar staart klapt nog steeds hard op de grond heen en weer.

Melle gaat op zijn hurken zitten en omhelst haar. 'Ik heb jou ook gemist,' fluistert hij in haar oor en hij begraaft zijn neus even in haar vacht. Terwijl Melle en Stakker elkaar zo knuffelend begroeten, komt Lieke de kamer in gelopen. '*Oh wooo... I wanna be with you everywhere!*' zingt ze mee met de muziek. 'Ha ha, dat is ook toepasselijk!' zegt ze grinnikend. '"Ik wil overal bij je zijn", nou, dat klopt wel voor jullie! Ik zal die band eens een mailtje sturen, misschien willen ze wel een nieuwe videoclip maken met jullie in de hoofdrol!'

Maakt zijn zus hem nu belachelijk? Melle kijkt haar onderzoekend aan. Lieke leunt tegen de muur, ze staat er ontspannen bij.

'Daar bedoel ik niks vervelends mee, hoor!' Lieke ziet aan Melles blik dat haar woorden niet goed vallen en wil een discussie voorkomen. 'Maar het is toch zo? Stakker en jij zijn toch ook onafscheidelijk?'

Melle houdt zijn arm nog steeds om Stakker heen. 'Waf!' blaft Stakker instemmend. Haar blaf bezorgt Melle een wee gevoel in zijn buik. Wat is ze toch een lieve hond! Hij heeft haar net een paar uur alleen gelaten, en ze is nog steeds zo trouw en enthousiast! Hij kijkt haar weer even aan en glimlacht. 'Ja, misschien zijn we dat wel. Onafscheidelijk.'

'Zeg, jongens, kan die muziek wat zachter?' Koen is inmiddels ook binnengekomen en draagt de tas met boodschappen naar de keuken. Stakker dribbelt hem vrolijk achterna, meestal krijgt ze van Koen tijdens het uitpakken van de boodschappen wat lekkers toegestopt. 'En zorgen jullie ervoor dat er geen rotzooi in de kamer ligt? Opa en oma kunnen elk moment komen!'

O ja! Melle had er helemaal niet meer aan gedacht, maar vandaag komen zijn opa en oma op bezoek. Het is pas de eerste keer dat ze komen sinds ze hen van het vliegveld hebben opgehaald. Dat is alweer een poosje geleden. Ze waren helemaal weg van Stakker toen ze haar zagen. En dat terwijl Stakker toen helemaal niet zichzelf was!

Hij weet het nog goed. Een beetje trillerig kwam ze uit de bench zetten, zo'n speciale kennel waar honden in het vliegtuig mee worden vervoerd. Zelf had hij nog meer getrild... Wat was hij nerveus geweest tijdens die vlucht terug naar Nederland! Ze hadden haar achter moeten laten bij de bagagebalie, twee mannen met een geel jasje aan zetten haar in de kennel op een karretje en reden haar weg. 'Dag, Stakker, tot straks in Nederland!' had Melle haar nageroepen. Stakker had een klaaglijk gekreun laten horen, ze vond het allemaal maar niks.

De hele vlucht waren Melle, Lieke en zijn ouders zenuwachtig geweest. Stakker zat helemaal alleen in het bagageruim. Hoe zou ze het vinden? Zou het niet te koud zijn? Zou ze bang zijn?

De vlucht was lang niet zo leuk geweest als de heenweg; Melle had geen zin gehad om uit het raampje te kijken, hij wilde alleen maar dat ze zo snel mogelijk hun bestemming zouden bereiken.

Toen ze waren geland op Rotterdam Airport, duurde het gelukkig niet lang voordat Stakker naar de bagagehal werd gebracht. Door het raam van de hal zag hij dat ze in de kennel vanuit het vliegtuig op een soort lopende band werd gezet en daarna met zo'n speciaal bagagewagentje naar de hal werd gereden. Ze stond recht overeind en keek door de tralies van het deurtje spiedend om zich heen. Haar staart hing naar beneden, ze was niet echt op haar gemak. Toen Melle eenmaal het deurtje opendeed stapte ze voorzichtig en met trillende poten naar buiten. 'Zijn we er nu?' had ze nerveus gepiept. 'Hoef ik niet meer terug?'

In die zenuwachtige toestand hadden opa en oma Stakker leren kennen. Ze hadden direct medelijden met haar gehad en opa had haar op weg naar de auto steeds geaaid. Oma had natuurlijk een paar lekkere worstjes en kauwbotjes bij zich, maar die had Stakker pas veel later opgegeten. Op dat moment stond haar kop er nog niet zo naar.

Maar dat is allemaal alweer lang geleden, denkt Melle. Tenminste, zo leek het. Eigenlijk is een paar weken natuurlijk helemaal niet zo lang geleden, als je bedenkt dat Stakker daarvoor al ruim een jaar in Spanje had gewoond.

Eén jaar; zo oud schatte de dierenarts Stakker nadat ze haar eens goed had bekeken en haar gebit had bestudeerd. Ze had gekeken naar de grootte van de tanden en of ze al erg waren afgesleten. Stakker zelf had geen idee hoe oud ze was. 'Woehoef! Mijn leeftijd? Ik denk helemaal niet in tijd. Ik leef gewoon, slaap af en toe, en ga dan weer op pad, op zoek naar eten of iets leuks om te doen. Ik probeer er het beste van te maken,' had ze geantwoord toen Melle haar vroeg hoe oud ze was.

Dat vindt hij wel een stoer antwoord. Gewoon niet meer op de tijd letten en van elke dag iets moois proberen te maken. Zo wil ik ook gaan leven, neemt hij zich voor.

'Melle! Wat sta je te dromen?' Koen geeft hem een zacht tikje op zijn schouder. 'Is je kamer een beetje netjes? En de logeerkamer, is die al in orde gemaakt voor opa en oma?'

'Ja hoor, het bed is opgemaakt en de gordijnen hangen alweer voor de ramen, lekker fris gewassen.' Ina, Melles moeder, komt net de kamer in lopen en geeft antwoord op Koens vraag.

'Hé! Ben jij er ook al? Was je vandaag vroeg klaar?' Koen geeft haar een zoen en kijkt haar vragend aan.

'Toen jullie vanochtend vroeg naar het radiostation gingen, werd ik gebeld door mijn werk. Er was een stroomstoring, of zoiets. Er kon geen lesgegeven worden, ik heb dus vrij vandaag! Vandaar dat ik hier alles op orde heb kunnen brengen, ik heb zelfs al lekker vlees voor Stakker gekookt!' Ina knipoogt naar

Melle. 'Want daar heeft onze bekende Nederlander natuurlijk niet aan gedacht vandaag, toen hij in de radiostudio zat!'

Melle slaat zijn hand voor zijn mond. Stom! Helemaal vergeten! Zijn moeder heeft gelijk, hij had vandaag naar de slager moeten gaan. Vlak nadat ze terug waren van hun vakantie in Spanje hebben ze met zijn allen afgesproken dat Stakker op vrijdag altijd vers vlees te eten krijgt. Omdat Stakker officieel Melles hond is, hoort hij daar dus eigenlijk voor te zorgen. En vandaag is het vrijdag.

Al die tijd zit Stakker nog steeds voor Melle op de grond en geniet ze van zijn strelingen over haar kop.

'Stakker?' vraagt Melle zachtjes.

Ze richt haar blik omhoog en kijkt hem vragend aan. 'Wat is er?' gromt ze.

'Zullen we even een ommetje maken buiten?' vraagt hij. 'Misschien zien we opa en oma wel aankomen!'

Stakker gaat direct staan en kwispelt met haar staart, haar oren staan recht overeind. 'Waf wahaf! Ja, leuk!' blaft ze. 'Maar zullen we eerst even Sambal ophalen?'

Sambal, de ex-politiehond

Van tientallen meters afstand zien ze hem al: Sambal, de hond van de autogarage even verderop in de straat. Hij ligt op zijn vaste plek; rechts van de ingang met zijn kop half naar de straat, half naar de garage gericht. Zo kan hij goed in de gaten houden wat er allemaal om hem heen gebeurt. Hij ziet de mensen voorbijlopen en tegelijkertijd ziet hij waar zijn baas mee bezig is. Zijn grote zware kop ligt op zijn voorpoten, zijn ene oor hangt geknakt en zijn andere staat rechtovereind. Als je hem niet zou kennen, zou je denken dat deze best wel dikke hond er lekker ontspannen en lui bij ligt. Maar Melle en Stakker weten wel beter. Sambal houdt alles perfect in de gaten en als het nodig is staat hij vliegensvlug in de startblokken! Daaraan heeft hij ook zijn naam te danken; net zoals het hete prutje sambal je eten plotseling verrassend pittig kan laten smaken, zo kan Sambal iedereen van het ene op het andere moment versteld doen staan van zijn felle waaksheid. Hij is niet voor niets een politiehond geweest!

Kijk, daar heft hij zijn kop al op: hij heeft hen gezien.

Melle ontdoet Stakker van haar lijn en laat haar het laatste stukje naar Sambal toe rennen. Sambal staat al klaar om haar te begroeten. Ze springen tegen elkaar op, draaien vrolijk om elkaar heen en Stakker likt de bek van Sambal.

In de paar weken dat Stakker nu in Nederland is, zijn de twee honden al dikke vrienden geworden. Sambal is namelijk de enige hond in de buurt die net zo groot is als Stakker, en hij is net als zij gewend veel buiten te zijn. Zijn baas, Johan de automonteur, laat hem de hele dag vrij loslopen. Hij heeft Sambal gekregen van een vriend die bij de politie werkte. De hond is erg goed getraind, hij loopt nooit weg en weet heel goed dat hij moet uitkijken voor het verkeer. Hij had er al een paar jaar opzitten bij de politie, heeft gewerkt als speurhond en als boevenvanger, maar hij werd iets te oud en... iets te zwaar. Bovendien kreeg hij een beetje last van zijn darmen, want hij liet steeds vaker vieze scheetjes. Toen vond de politie dat het tijd was voor Sambals pensioen! En Johan is de ideale nieuwe baas voor Sambal. De hond kan voor hem de garage bewaken maar tegelijkertijd is hij vrij om lekker rond te struinen in de buurt. Wanneer Melle met Stakker gaat wandelen, komen ze Sambal dus regelmatig tegen. Soms gaat hij met hen mee, dat hangt een beetje af van zijn bui.

'Whoehoehoe!' Sambal joelt van enthousiasme als hij begrijpt dat Melle en Stakker een rondje gaan doen.

'Wahaf!' blaft hij. 'Ik ga met jullie mee, hoor! Het is vandaag zo saai geweest, bijna geen klanten in de garage en Johan staat al uren te sleutelen aan een of andere motor.'

'Lieke heeft me vanochtend al mee naar het bos genomen,' blaft Stakker hem toe, 'want Melle was weg voor een radioprogramma.'

Sambal schudt zijn dikke vacht eens goed uit. 'Hij is best vaak weg, hè?' gromt hij. 'Maar gelukkig is Lieke ook een leuke meid. Kun je haar niet eens vragen of ik volgende keer ook mee mag naar het bos? Het is zeker al eeuwen geleden dat ik daar ben geweest... ik kan het me niet eens meer herinneren!'

Als hij de twee honden zo hoort praten voelt Melle zich nog schuldiger dat hij Stakker vandaag in de steek heeft gelaten en vlees voor haar is vergeten. Maar hij doet net alsof hij het gesprek tussen de honden niet heeft gehoord en trekt een vrolijk gezicht. 'Hé, Sambal! Kom je met ons mee? Zullen we naar het grasveld gaan of willen jullie deze keer liever naar het park met de grote zandbak?'

'Waf!' klinkt de enthousiaste reactie van Stakker als ze dat laatste hoort. 'Whoehoef!' bast de zware blaf van Sambal er direct achteraan.

'Goed, dan gaan we naar het park met de zandbak. Omdat die zo dichtbij is zal ik jullie los laten lopen. Maar dan moeten jullie niet te ver bij me vandaan lopen, anders krijgen we weer klachten en dan moeten jullie aan de lijn.'

Snel glipt Melle de garage in waar Johan over een motorkap staat gebogen. 'Hé, Johan, ik neem Sambal even mee naar het park, oké?' roept hij hem toe.

Johan blijft over de motorkap gebogen staan en steekt zijn duim op.

Stakker en Sambal dribbelen ongeduldig om Melle heen. Ze willen het liefst naar het park toe rennen, maar Melle loopt in zijn normale tempo. In het begin rende hij met Stakker, maar al snel begonnen veel voorbijgangers te klagen dat de straat op die manier onveilig werd. Kleine kinderen vonden die grote rennende hond maar eng en ook ouderen en mensen met kinderwagens hadden er last van. Aangelijnd zijn vindt Stakker maar niks, dat is ze helemaal niet gewend. Ze heeft dan een beetje het gevoel dat ze gevangen is. Melle vindt het ook overbodig. 'Ik kan toch met Stakker praten! Waarom heb ik dan een lijn nodig?'

Zijn moeder zei dat het er vooral om gaat dat andere mensen niet in paniek raken bij het zien van zo'n grote, loslopende hond. 'Er zijn nu eenmaal mensen die bang zijn voor honden. Die wil je toch niet de stuipen op het lijf jagen?'

Melle en Stakker hebben zich dus aangepast en inmiddels lopen ze altijd behoorlijk rustig. Met Sambal erbij vallen ze natuurlijk nog meer op, maar omdat bijna iedereen in de buurt hem kent is dat geen probleem.

Hoe dichter ze het park naderen, hoe vrolijker de honden worden. Stakker piept en haar staart zwiept steeds harder heen en weer. Sambal wordt aangestoken door haar enthousiasme en...

'Hè, gadver, Sambal, moet je soms poepen? Wat een stinkscheet heb je gelaten!' roept Melle.

'Whahahaf!' Stakker blaft uitgelaten als ze ziet hoe Melle zijn neus optrekt en een vies gezicht trekt. Er hangt inderdaad een smerige stank, maar Sambal loopt gewoon door zonder te reageren. Hij heeft er zelf kennelijk geen last van.

'Honden hebben toch zo'n goede neus?' vraagt Melle verbaasd aan Stakker, terwijl hij druk met zijn handen de stank wegwappert. 'Hoe kan het dan dat jullie die vieze scheten niet ruiken?'

Stakker wil het Melle uitleggen. 'Whoehoef!' blaft ze. 'We ruiken ze wel, maar we vinden ze niet interessant. We weten toch al waar die lucht vandaan komt, uit ons eigen lichaam. Dus waarom zouden we ons daar druk om maken?' Ze laat zelf ook weleens een windje, maar zo vies als die van Sambal ruiken die van haar gelukkig niet.

Eenmaal aangekomen bij de ingang van het park zetten Sambal en Stakker het op een lopen, ze stevenen meteen af op het grote zanderige veld. Na wat rondjes te hebben gerend, beginnen ze te snuffelen, hier en daar krabben ze wat met hun voorpoten en uiteindelijk hebben ze een plek gevonden waar ze, om beurten, een kuil graven.

Melle kijkt van een afstandje toe, hij gaat niet te dichtbij staan, want hij weet dat hij dan de kans loopt onder het zand te worden bedolven. Als de honden eenmaal aan het graven zijn, letten ze niet meer op waar ze het zand heen trappen. Als je dan nét op de verkeerde plek staat, heb je zo een echte zanddouche te pakken!

Tik tik. Melle schrikt op van twee tikjes die hij op zijn schouder voelt. Hij draait zich om.

Een meisje kijkt hem nieuwsgierig aan. Ze heeft blauwe ogen en blond steil haar tot over haar schouders. 'Ben jij soms Melle?'

Justa

'Ja, ik ben Melle. Hoe weet je dat?'

'Ik heb je vanmorgen gehoord op de radio, bij *Koffie verkeerd*. Ik vond je heel goed, je hebt echt uitgelegd hoe het zit, dat eh... dat met honden praten.' Het meisje schuifelt met haar voeten en stopt haar handen diep weg in de zakken van haar spijkerjasje.

Melle is gevleid door het compliment, maar hij is ook verbaasd. 'Je hebt me op de radio gehóórd... Hoe weet je dan dat ik het ben? Ik bedoel, je wist toch niet hoe ik eruitzie?'

Het meisje giechelt zachtjes. 'Hi hi, nou, eerlijk gezegd wist ik dat al wel.'

Melle trekt zijn wenkbrauwen omhoog. Hij bekijkt het meisje nog eens goed. Zou hij haar soms moeten kennen? Heeft hij haar al eens eerder gezien?

Dan haalt het meisje een hand uit haar jaszak en steekt die naar hem uit. 'Ik ben Justa. Ik zit bij je zus op balletschool, maar dan twee groepen lager.'

Melle neemt haar uitgestoken hand aan.

'Bij Lieke op de balletschool? Aha. Maar hoe weet je dan dat ik haar broer ben? Ik ben nog nooit op jullie balletschool geweest!'

Justa lacht en knikt. 'Klopt, maar Lieke heeft het krantenartikel over Stakker en jou in de kleedkamer opgehangen, met die grote foto erbij. Ik vind het echt geweldig wat jullie in Spanje voor de zwerfhonden hebben gedaan. Die dieren hebben het daar zeker niet makkelijk, ik heb er ook al weleens iets op tv over gezien!'

Melle knikt en wil vragen wat ze dan precies op tv heeft gezien, maar voordat hij kan reageren, praat ze alweer verder.

'Ik hou zelf heel erg veel van honden. Maar jammer genoeg wil mijn moeder geen hond. Een kat hebben we wel, Kobus. Maar die is al oud. Wat zul jij blij zijn dat je Stakker mee hebt kunnen nemen! Hoe vindt ze het eigenlijk in Nederland?'

Ze draaien hun hoofd in de richting van de plek waar Stakker en Sambal zojuist druk aan het graven waren.

De honden zijn weg.

'Staaaakker! Saaaambal! Waar zijn jullie?' Terwijl ze het park afzoeken naar een glimp van de honden, roepen Melle en Justa luidkeels hun naam. Ze zijn nergens te zien, nergens te horen. Ze zullen er toch niet vandoor zijn gegaan? Nee, denkt Melle, waarom zouden ze dat doen? Zo zijn ze helemaal niet. Maar het is wel raar dat ze nu opeens zijn verdwenen. Justa en hij wachten al een paar minuten op de plek waar de honden stonden te graven. Het park is vrij groot en heeft behalve de ruime zandplaats ook vele bosjes, bomen en vijvers. Je kunt er best in verdwalen.

'Kun je Stakker niet via je gedachten bereiken?' vraagt Justa nieuwsgierig.

Melle denkt na. 'Jawel... we praten juist heel vaak via onze gedachten met elkaar. Maar dan ís ze er altijd! Dan kan ik haar aankijken en zij mij. En nu is ze weg!'

Justa knikt begrijpend. 'Maar je kunt het toch wel proberen? Misschien lukt het!'

Justa heeft gelijk, denkt Melle. Waarom ook niet? Hij kijkt nog een keer goed om zich heen, maar ziet nog steeds geen

Stakker of Sambal. Het park ligt er rustig bij, er lijkt niks bijzonders aan de hand.

Hij concentreert zich, sluit zijn ogen en buigt zijn hoofd. Hij probeert aan niets anders te denken dan aan Stakker. In zijn hoofd vormt zich langzaam de vraag die hij haar wil stellen.

Stakker, waar ben je? denkt hij. Waarom kom je niet naar me toe? Wat is er aan de hand?

Hij herhaalt de vragen een paar keer, nog steeds met zijn ogen gesloten. Een tintelend gevoel bekruipt hem in zijn nek... Zou dat iets betekenen?

Dan voelt hij een kneepje in zijn arm en hij opent zijn ogen. Het is Justa.

'Kijk,' fluistert ze en ze knikt met haar hoofd in de richting van een bosje verderop, 'het is je gelukt!'

Melle volgt haar blik en ziet Stakker uit de verte aan komen rennen. Een gevoel van opluchting en verbazing vervult hem. Zou ze zijn gedachten en vragen echt hebben gehoord? Dat moet wel! Anders is het wel héél toevallig dat ze precies op dit moment komt aanrennen!

Een vondeling

'Stakker, waar was je? En waar is Sambal?'

Melle roept zijn hondenvriendinnetje al toe terwijl ze nog enkele meters van hem is verwijderd. Haar draf gaat nu over in een wat rustiger loopje. Haar tong hangt uit haar bek, ze hijgt en de blik in haar ogen is vol opwinding.

'Ik... *hijghijg*... Sambal is nog daar... *hijg*...' Ze hijgt nog zo hard dat Melle haar gegrom maar half verstaat.

'Wacht even, ga rustig zitten. Goed zo, eerst even uithijgen, anders versta ik er niks van.'

Terwijl Melle Stakker toespreekt gaat ze naast zijn voeten liggen en al snel wordt het hijgen minder.

Justa tikt Melle op zijn schouder. 'Heeft ze nu echt je gedachten gehoord?' fluistert ze.

'Waf waf!' blaft Stakker. 'Wat bedoelt ze daarmee?'

Melle zwijgt. Hoe moet hij dat nu aan Stakker uitleggen? Hij weet zelf niet eens precies wat hij net heeft gedaan.

'Nou...' begint hij aarzelend, 'jullie waren plotseling weg. Ik wist helemaal niet waar je heen was. We maakten ons ongerust en toen... Waarom kwam je eigenlijk opeens weer terug?'

Stakker gromt. 'Mijn gevoel zei me dat ik weer terug moest,' gromt ze snel en een beetje ongeduldig, 'en ik was weggegaan omdat Sambal en ik iets op het spoor waren.'

'Wat dan?' vraagt Melle.

Stakker blaft opnieuw. 'Waf waf! Even verderop in het park zit een hondje vastgebonden aan een boom.'

Melle begrijpt er niks van. 'Een hond vastgebonden? Maar wat is daar zo raar aan? Dan zit het baasje er zeker vlakbij te lezen op een bankje of zo, dat gebeurt wel vaker.'

'Woef! Nee, was dat maar zo!' blaft Stakker hoog en opgewonden. 'Dit hondje zit al heel lang vastgebonden, misschien al wel dagen... Ze heeft honger en dorst en ze is doodsbang. We moeten haar bevrijden!'

Melle schrikt. Hij kijkt naar Justa en ziet de vragende blik in haar ogen.

Kort vertaalt hij wat Stakker hem zojuist vertelde. 'Ze hebben een vastgebonden hondje gevonden, hier in het park. Stakker denkt dat het door iemand is achtergelaten!'

Stakker heeft geen tijd om nog langer te wachten. Ze is alweer vertrokken en loopt in een drafje het park door, langs de paadjes en de bosjes naar de plek toe waar ze net vandaan komt. Melle en Justa hollen achter haar aan. Hoe zal het hondje eraan toe zijn?

Als ze bij een doodlopend paadje aankomen, zien ze meteen de grote donkere staart van Sambal die heen en weer gaat. Sambal staat bij een boom, met zijn kop naar de grond gericht. Zodra hij Stakker aan hoort komen, draait hij zich om.

Melle is nog ver van de boom verwijderd, maar hij ziet het vastgebonden hondje al zitten. Hij krijgt direct een brok in zijn keel. Wat een klein, mager, aandoenlijk hondje! Met elke stap die hij dichterbij komt, kan hij het beter zien. Het is een vrouwtjeshond, een teefje, met kort zwart-wit haar. Haar kleine oortjes hangen treurig naar beneden. Een dik groen touw zit vastgebonden aan haar halsband en is een paar keer om de boomstam heen gewikkeld. Het hondje kan maar een paar passen voor- en achteruit zetten, langer is het touw niet.

Melle is geschokt. Wie doet er nu zoiets?

Dan ziet hij dat er witgrijze haartjes op haar snuit en kin groeien. Dit hondje is al best oud!

Het hondje piept angstig en laat af en toe een jammerlijk blafje horen.

'Waw waw...' Sambal en Stakker blijven dicht bij haar staan, maar draaien hun kop nu in de richting van Melle en Justa, om duidelijk te maken dat ze dichterbij kunnen komen.

Melle gaat op zijn hurken zitten en blijft op een klein afstandje van het hondje. Justa doet hetzelfde.

'Hallo, ik ben Melle. Mag ik bij je komen?' vraagt hij zo rustig mogelijk. Hij wil het hondje niet nog banger maken.

'Wieeeuwieeuw,' jammert het, 'ik weet het niet... Ik ben bang. Wat wil je met me doen?'

Melle, nog steeds laag bij de grond, schuifelt wat dichterbij. 'Je hoeft voor mij niet bang te zijn. Ook niet voor mijn vrienden. Wij willen je helpen. Wij willen je losmaken van die boom.'

'Waf waf!' blaft het hondje nu opgewonden. Haar staartje gaat driftig heen en weer. 'Alsjeblieft, ja, maak me los! Ik weet me geen raad meer hoe ik hier vandaan moet komen. Ik heb zo'n honger en dorst, ik mis mijn thuis, en mijn baasje!'

Sambal blaft zwaar. 'Woef! Je mist je baasje? Ben je soms gek geworden? Hoe kun je nu je baas missen? Je vertelde me net dat hij je hier heeft achtergelaten!'

Het zwart-witte hondje krimpt in elkaar, ze houdt op met kwispelen en haar oortjes liggen plat op haar kop.

Stakker springt op, ze merkt direct dat het hondje dit geen leuke opmerking vindt. 'Waf waf!' Haar oren staan rechtovereind terwijl ze Sambal mopperend toe blaft. 'Zoiets kun je toch niet zeggen! Laten we het daar nu even niet over hebben, Sambal! Eerst moeten we haar losmaken, dat is nu veel belangrijker.'

Sambal legt zijn oren in zijn nek en doet een paar passen naar achteren. Ook hij ziet dat hij met zijn geblaf het hondje bang heeft gemaakt. Dat was natuurlijk helemaal niet zijn bedoeling.

Stakker draait zich om naar Melle. 'Heb jij niet iets bij je waar je het touw mee kunt losmaken? De knoop die erin is gelegd, is namelijk superdik. Sambal en ik kunnen het ook wel proberen door te bijten, maar dat gaat wel even duren. Het touw is erg stevig!'

Melle voelt in zijn zakken. Heeft hij soms zijn zakmes...?

'Kunnen we het halsbandje niet gewoon los maken?' Justa gaat ook op haar hurken zitten en kijkt Melle vragend aan. Ze wijst naar de halsband en het touw. 'Het touw zit vastgeknoopt aan de halsband, dus als je de halsband losmaakt is het hondje ook meteen vrij.'

'Natuurlijk! Goed gezien!' Melle buigt zich direct voorover naar de nek van het kleine hondje en frunnikt aan het riempje. Dat ik daar zelf niet op ben gekomen, denkt hij.

Het kleine hondje wendt haar kop af en zit nog steeds een beetje in elkaar gedoken. 'Ieuwiew,' piept ze zachtjes, 'het was mijn baasje niet.'

Stakker en Sambal staan opgewonden te snuiven en te piepen terwijl Melle geconcentreerd het petieterige halsbandje probeert los te maken. Ze slaan geen van allen acht op haar gepiep en Justa verstaat het natuurlijk niet. Ze heeft wel in de gaten dat het hondje bang en nerveus is en ze begint het zachtjes te aaien, over haar kop en rug. Het hondje schrikt even wanneer ze wordt aangeraakt, maar algauw ontspant ze zich.

'Jaaa!' Eindelijk heeft Melle het bandje losgepeuterd en

haalt hij het van haar nek af. Het hondje is vrij. Het touw zit nog steeds om de boomstam gebonden, maar nu met een leeg halsbandje aan het uiteinde.

Het hondje kan nu gaan en staan waar het wil. Maar het doet niks. Ze blijft met een kwispelend staartje zitten en Justa gaat gewoon door met aaien.

Melle, Stakker en Sambal kijken elkaar aan. Wat moeten ze hier nu mee?

'Zeg, touwhondje, heb je geen zin om even lekker te rennen?' gromt Stakker nieuwsgierig. Het kleine zwart-witte hondje maakt nog steeds geen aanstalten om op te staan.

'Wef!' blaft ze. 'Rennen? Waarom zou ik? Het is toch veel fijner om geaaid te worden? Ik ben zo alleen geweest! Vastgebonden aan die rotboom... Het is het ergste wat me ooit is overkomen.' Ze kijkt hen met haar grote ogen om beurten aan. 'Wefwef! Maar ik ben niet vastgebonden door mijn baasje, hoor! Die weet van niks! Het was iemand die ik helemaal niet goed kende, iemand die me zomaar een keer heeft opgepakt en meegenomen. Dat mens gaf helemaal niet om me! Nee, dan mijn echte baasje... Wat heb ik die al lang niet meer gezien. Ik mis haar zo!'

Melle slikt. Hij merkt hoe verschrikt en verdrietig het hondje is. Zou ze nu wel of niet door haar echte baasje zijn achtergelaten? Hij vindt het maar een beetje warrig verhaal dat ze vertelt. Maar ja, ze heeft natuurlijk ook iets verschrikkelijks meegemaakt. Wie zou daardoor niet in de war raken?

'Zeg, heb je ook een naam?' vraagt hij haar.

Het hondje begint met haar korte staartje te kwispelen. 'Waf!' blaft ze zachtjes. 'Mijn baasje noemde me altijd Hummeltje.'

Het ontvangstcomité voor Hummeltje

Het is een opvallende optocht, zoals ze even later met zijn allen terug naar huis lopen. Grote, dikke Sambal met zijn donkere kop voorop, waar iedereen voor uitwijkt als je hem niet kent. Vlak daarachter lopen Melle en Justa, die Hummeltje in haar armen draagt. Haar spijkerjasje heeft ze uitgetrokken en die gebruikt ze als dekentje voor het uitgehongerde hondje. Als hekkensluiter komt Stakker, die goed oplet en ervoor zorgt dat geen fietser of hardloper hen kan inhalen of omver zal lopen.

Zodra ze hun eigen straat in lopen ziet Melle de auto van zijn opa en oma voor zijn huis staan. De portieren slaan open en opa en oma stappen uit. 'Hé! Opa en oma!' roept Melle en begint te zwaaien. Zouden ze hem zien?

Stakker ziet hen ook en begint te blaffen. 'Woef! Woef!'

Het geblaf is genoeg om de aandacht van opa en oma te trekken, ze kijken hun kant uit en, ja hoor, ze zwaaien terug.

'Hé, Melle! Wat is er aan de hand?' roept oma met hoge stem. Opa komt hen al tegemoet lopen.

'Jongen, wat is er gebeurd?' vraagt hij. 'Ben je nu alwéér in een hondenavontuur beland? Wat zijn dat voor honden? En wat is er met dat kleintje aan de hand?' Opa kijkt hen vragend aan en zijn bezorgde blik rust op het kopje van Hummeltje, dat net boven Justa's spijkerjasje uitkomt.

'Opa, we hebben dit hondje in het park gevonden, ze zat

vastgebonden aan een boom.' Melle tilt het spijkerjasje even op, zodat opa Hummeltje goed kan zien.

'Wat zeg je? Vastgebonden, dit kleine hondje?' Opa's gezicht loopt rood aan, rondom zijn ogen vormen zich allerlei rimpeltjes. 'Dat kan toch niet waar zijn? Degene die dat op zijn geweten heeft zal ik persoonlijk eens vastbinden!'

'Henk, Henk, wat zeg je nou allemaal?' Melles oma is intussen ook bij hen komen staan en hoort de woorden van opa. Dan pas ziet ze Hummeltje. 'Oooo...' is het enige wat ze kan uitbrengen. De tranen springen in haar ogen. 'Heeft zij vastgebonden gezeten, zo'n klein beestje?' zegt ze met overslaande stem. 'Ze heeft vast honger en dorst!'

Justa knikt heftig. 'Ja, dat klopt! Ze heeft een paar dagen aan een boom vastgezeten, zonder eten en drinken.'

'Kom op, jongens,' zegt oma nu weer met vaste stem. 'We brengen haar snel naar binnen en geven haar alles wat ze nodig heeft. Dan praten we straks wel verder.'

Nu is de optocht nóg groter geworden; opa loopt naast Sambal voorop en oma is naast Justa gaan lopen om zo Hummeltje goed in de gaten te houden. Melle draait zijn hoofd even om, naar Stakker. Ze kijkt hem opgetogen aan, en hij geeft haar een knipoog. Een flinke kwispel is haar reactie.

Wanneer ze voor de deur van hun huis zijn aangekomen, haalt Melle zijn sleutelbos van zijn broekriem en steekt de huissleutel in het slot van de deur. Sambal doet een paar passen naar achteren, hij zoekt oogcontact met Stakker.

'Ik zal nu maar gaan, hè?' bromt hij. 'Hummeltje is in goede handen, ik ben niet meer nodig.'

Stakker piept. 'Joh, je mag echt wel mee, hoor, als je dat wilt! Ik weet zeker dat iedereen dat goed vindt!'

Opa, oma en Justa met Hummeltje stappen naar binnen, de gang in. Ze hebben niet in de gaten dat Sambal achterblijft. Melle houdt de deur open en draait zich om naar Stakker en Sambal. 'Sambal, als je wilt kun je zeker mee naar binnen, dat is geen enkel probleem. Maar als je liever terug wilt naar de garage, is dat ook goed. Johan zal zich ondertussen ook wel afvragen waar je uithangt.'

Sambal gromt en draait zich half om. 'Ik ga terug naar mijn baas. Maar roepen jullie me als je me nodig hebt? En laat je me weten hoe het afloopt met Hummeltje?'

'Wah whaf! Natuurlijk!' blaft Stakker en ze geeft hem een lik aan de zijkant van zijn bek. Sambals staart kwispelt lichtjes wanneer hij, op zijn gemakje, terugsjokt naar de garage. De ex-politiehond is tevreden, zijn werk zit erop.

Melle loopt snel de huiskamer binnen, iedereen is druk in de weer voor Hummeltje. Kennelijk hebben opa en oma al aan zijn ouders verteld wat er is gebeurd. Ze lopen elkaar in de keuken bijna voor de voeten terwijl ze blikken hondenvoer, geklutste eieren en stukjes brood door elkaar aan het mengen zijn. Als Stakker dat ruikt kan ze het niet laten verlekkerd haar kop omhoog te brengen naar het aanrecht.

'Jij krijgt straks ook wat, Stakker! Maar eerst dit arme kleintje!' zegt Melles moeder.

Justa en Lieke zitten samen op de bank met Hummeltje tussen hen in. Zodra Justa Melle ziet binnenkomen, lacht ze naar hem. Melle glimlacht terug. Het lijkt wel alsof we al vrienden zijn, denkt hij. Maar eigenlijk kennen we elkaar nog helemaal niet!

Het hondje is inmiddels in een zacht dekentje gewikkeld en kijkt, nog af en toe een beetje rillend, nieuwsgierig om zich heen. Koen komt aanlopen met een bakje water en houdt het vlak voor haar neus. Hummeltje snuft er een beetje aan.

'Melle, zeg eens tegen haar dat ze hiervan moet drinken!' zegt Lieke ongeduldig. Melle geeft haar een verwijtende blik. Alsof Hummeltje dat zelf niet weet! Dan ziet hij hoe Justa hem vol verwachting aankijkt en hij bedenkt zich.

'Wil je niet drinken?' vraagt hij aan Hummeltje.

'O jawel, heel graag zelfs!' piept ze.

'Nou, toe dan!' spoort hij haar aan en hij knikt naar het bakje dat zijn vader vasthoudt. Hummeltje doet nog steeds niets. Ze kijkt Melle ongemakkelijk aan. 'Kan hij het misschien ook neerzetten? Ik vind het een beetje eng als hij zo dicht voor me staat.'

Melle grinnikt en wendt zich tot zijn vader. 'Pap, zet het maar voor haar neer en loop dan wat naar achteren. Ze durft niet met jou zo dichtbij!'

Opgelucht kijken zeven paar ogen even later naar de gulzig drinkende Hummeltje. *Slobberslobber*. Ze gaat er zelfs voor staan, het dekentje valt van haar af. Haar borstkasje gaat op en neer, ze slikt het water vlot door. Als het bakje bijna leeg is, heeft ze genoeg. Ze kijkt op naar alle bezorgde gezichten om haar heen en likt de druppels van haar bek. 'Wef!' keft ze, een beetje schor.

'Ze vond het lekker!' vertaalt Melle.

'Och, meisie toch...' zegt oma vertederd en ze brengt haar handen naar haar gezicht. Melle ziet haar ogen alweer glinsteren.

Zijn moeder zet het bakje met het lekkere voer op de grond neer. 'Je kunt haar nu beter even op de grond zetten, Justa,' zegt ze. 'Ik geef haar liever geen eten op de bank, anders valt het bakje misschien om en dan is straks de hele bank vies!'

Justa knikt. Ze pakt Hummeltje voorzichtig op en zet haar neer. Het hondje snuffelt even aan het sterk ruikende hondenvoer en geklutste ei, maar deze keer heeft ze niet lang nodig om aan te vallen. Hap, schrok, weg! Als een razende hapt ze het bakje leeg, je kunt wel aan haar zien dat ze erge honger heeft. Binnen een paar seconden is het allemaal op en kijkt ze verwachtingsvol omhoog. Komt er nog meer? lijkt ze te vragen.

Melles moeder lacht zachtjes.

'Dat was het, kleine meid, nu moet je even wachten. Dat is beter voor je maag, als je in één keer heel veel eet, krijg je zeker last van buikkrampen! Over een paar uurtjes krijg je weer een portie.'

Hummeltje lijkt het te begrijpen. *Floep!* Ze springt uit zichzelf weer op de bank en nestelt zich in het dekentje tussen Lieke en Justa in. Ze krult zich op als een bolletje wol.

Nog even kijkt ze op naar Melle en ze slaakt een klein kreetje. 'Ieuw! Nu ga ik slapen, hoor. Ik ben doodmoe!'

Aangifte doen?

Slobberslobber, sjmeksjmak. Onder luid gesmak laat Stakker zich haar deel van het lekkere voer goed smaken. Ze is de enige die zich op dit moment druk maakt om eten, er staat een schaal belegde broodjes klaar voor de lunch, maar het lijkt niemand iets te kunnen schelen, want er wordt alleen maar gepraat over wat er nu met Hummeltje moet gebeuren.

'Het is toch ongelooflijk dat zo'n klein hondje aan haar lot wordt overgelaten? Hoe haalt iemand het in zijn hoofd?' Opa blijft zich maar verbazen over wat het vorige baasje Hummeltje heeft aangedaan. Hij is zo verontwaardigd dat hij aan niets anders meer kan denken. 'Ik wil die persoon weleens persoonlijk spreken, dan zal ik hem eens vertellen wat ik ervan vind! Ik zal hém eens vastbinden aan een boom!'

Oma zit naast Ina en zij praten over wat het hondje de komende tijd het beste wel en niet kan eten. Oma weet veel van honden, want ze heeft vroeger heel wat jaren zelf honden gehad.

'Geen melkproducten?' vraagt Ina aan oma.

'Nee, daar krijgt ze alleen maar diarree van. Vers water, goede brokjes, gekookte rijst. Misschien wat vitaminepilletjes en kippenlevertjes, daar zit veel ijzer in, tegen de bloedarmoede.' Ina schrijft alles op in een kladblokje.

Melle, Lieke en Koen zitten inmiddels aan de computer. Ze willen via internet erachter komen wat ze het beste met het gevonden hondje kunnen doen. Een dierenarts bellen? Of de Dierenbescherming?

'Moeten we geen aangifte doen bij de politie?' vraagt Lieke zich af. 'Er is toch een misdrijf gepleegd? Je mag toch niet zomaar een hondje aan een boom vastbinden en achterlaten?'

Koen weifelt. 'Ik weet niet of de politie hier iets aan kan doen. Ik denk dat je zoiets beter bij de Dierenbescherming kunt melden. Zij hebben hier meer ervaring mee.'

Melle draait zich om naar Justa, die nog steeds op de bank zit met Hummeltje tegen haar aan. Ze kijkt hem aan. 'Ik durf me niet te bewegen,' zegt ze zacht, 'ze ligt zo vast te slapen!' Melle laat zijn vader en zus achter bij de computer en gaat naast Justa zitten.

'Wat vind jij dat we moeten doen?' vraagt hij haar. Justa heeft vanaf het begin Hummeltje in haar armen genomen en het hondje is niet meer van haar zijde geweken, behalve toen ze ging eten. Ze haalt even haar schouders op en kijkt naar het kleine opgekrulde diertje dat dicht tegen haar aanligt.

'Ik weet het niet. Ik ben al blij dat we haar hebben bevrijd van die boom. Wat is het een schatje...' zegt ze zuchtend. 'Ik zou haar het liefst bij me willen houden. Maar dat vinden mijn ouders nooit goed. Ik heb al heel vaak om een hond gevraagd, maar omdat ze allebei werken zeggen ze dat het niet kan!' Ze zwijgt even. 'Ik vind dat we er eerst achter moeten komen wie Hummeltje zo heeft achtergelaten aan die boom. Je opa heeft toch zeker gelijk? Die persoon moet ervoor gestraft worden!'

Melle denkt aan hoe ze Hummeltje hebben gevonden. Opeens schieten de woorden hem te binnen die ze piepte toen hij haar halsband losmaakte: 'Het was mijn baasje niet!' en 'Ik mis mijn baasje zo!'.

Melle springt op van de bank. 'We moeten eerst haar baasje gaan zoeken!'

Een kwartiertje later nemen Melle en Justa samen met Hummeltje en Stakker plaats op de achterbank van de auto. Koen en Lieke zitten al voorin. Terwijl ze wegrijden worden ze uitgezwaaid door Ina, opa en oma. Toen Melle aan de anderen vertelde hoe Hummeltje door een onbekende aan de boom was vastgebonden, besloten ze om met haar naar het dierenasiel te gaan. Niet om haar daar achter te laten natuurlijk. 'Zelfs al vinden we haar baasje niet, Hummeltje zal nooit meer ergens worden achtergelaten!' had opa gezegd. Nee, ze gaan naar het dierenasiel om verslag te doen van Hummeltjes 'verschijning' in het park en ze hopen dat de mensen in het asiel hen kunnen helpen met het zoeken naar Hummeltjes baasje. Er is namelijk iets raars aan de hand met het verhaal van Hummeltje, maar zelf is ze te moe en te zeer van streek om het hun precies te kunnen uitleggen. Hoe kan het immers dat iemand anders dan haar baasje haar in het park heeft vastgebonden?

Ze hebben hulp nodig om uit te vinden wat er nu precies met haar is gebeurd.

'Weet je hoe je moet rijden?' vraagt Melle zijn vader.

Koen knikt hem toe via het achteruitkijkspiegeltje. 'Het dierenasiel is op het industrieterrein, vlak bij de sportschool. Het kan niet missen.'

Het is stil in de auto. Iedereen is in gedachten verzonken, benieuwd naar wat de mensen in het dierenasiel hun straks zullen vertellen. En natuurlijk zijn ze ook een beetje gespannen om naar het asiel te gaan.

'Mijn moeder is vroeger ook een keer in het asiel geweest om onze kat Kobus uit te zoeken,' zegt Justa, 'en ze kwam toen heel verdrietig thuis. Niet omdat we toen Kobus hadden, dat was juist heel leuk. Maar omdat ze de andere dieren niet kon meenemen. Ze zaten er allemaal opgesloten in een hok.'

Lieke draait haar hoofd om naar de achterbank. 'Wij zijn in Spanje ook in een dierenasiel geweest en dat was gelukkig niet zo zielig. Eigenlijk waren de dieren daar best vrolijk, hè, Melle?'

Melle knikt. 'Ze konden daar ook best veel buiten spelen. Er was een grote binnenplaats met veel bomen. Ik hoop dat ze hier ook naar buiten mogen.'

Stakker legt haar kop op Melles schoot. 'Opgesloten zijn is niet leuk,' gromt ze, 'maar ik geloof dat ik liever in een asiel woon waar mensen lief tegen me zijn en me eten en drinken geven, dan alleen op straat waar de mensen je alleen maar wegjagen en je elke dag honger lijdt.'

Melle kriebelt haar tussen haar oren. Hij krijgt een brok in zijn keel als hij Stakker zo hoort. Ze weet heel goed waar ze het over heeft, het is nog maar kortgeleden dat ze zelf een zwerfhond was!

De auto mindert vaart en Koen zet de motor uit. Nieuwsgierig kijken ze naar buiten. Ze staan geparkeerd voor een grijs gebouw met een plat dak. DIERENASIEL DE KWISPELSTAART, staat er met grote blauwe letters op de muur, met een grappige tekening van een kwispelende staart ernaast.

Melle ziet dat het gebouw aan de zijkant overloopt in een gedeeltelijk overdekt grasveld. Er staan wat struiken voor het hek, dus hij kan het niet zo goed zien, maar lopen daar niet een paar honden?

Stakker ziet het ook. 'Waf!' Ze blaft slechts één keer, om te waarschuwen.

Hummeltje wordt direct wakker en springt rechtovereind;

ze zet haar twee voorpootjes tegen het raampje aan. Ook zij ziet de honden achter de struiken. Haar nageltjes glijden snel over het glas heen en weer. 'Grrrr! Wef! Wef!' keft ze vinnig.

Melle en Justa schieten in de lach. Wat een pittige tante is die kleine Hummel opeens! Zo hebben ze haar nog niet gezien.

Zodra ze de deur van het asiel openen en naar binnen lopen, ruiken ze de geur van honden en poezen. Het is geen stank, maar wel een typische geur die je nergens anders zo sterk ruikt. Net als wanneer je in een dierentuin bent, daar ruikt het ook altijd een beetje zo.

Ze lopen een klein gangetje door en komen uit in een kantoorruimte met een balie. Boven op de balie, aan de zijkant, liggen twee poezen opgerold te slapen. De ene ligt met zijn kop op de rug van de andere. Ze kijken niet op of om van de bezoekers. De vrouw die aan de computer zit, staat op zodra ze hen ziet en loopt achter de balie vandaan om hen te begroeten.

'Goedemiddag, ik ben Jantien. Kan ik wat voor jullie doen?' vraagt ze vriendelijk. Haar rode steile haar valt tot net over haar schouders.

Koen neemt het woord. 'Mijn zoon heeft vandaag een klein hondje in het park gevonden, vastgebonden aan een boom.' Hij wijst naar Hummeltje in Justa's armen.

Het gezicht van de vrouw betrekt. 'Ach gut, vastgebonden zegt u? Het zal toch niet waar zijn, dat is al de tweede deze week. En ook al zo klein!' Ze loopt op Hummeltje af en bekijkt haar nauwkeurig. 'Is het een teefje?' vraagt ze.

Justa knikt. 'Ja, het is een teefje en ze heet Hummeltje.'

De vrouw glimlacht. 'Ah, jullie hebben haar al een naam gegeven. Passend, hoor! Maar misschien kunnen we erachter komen hoe ze werkelijk heet. Ik zal eens kijken of ze een chip heeft!'

Justa en Melle kijken haar vragend aan. 'Wat is een chip?' vraagt Melle.

De vrouw is verbaasd. 'O, weten jullie dat niet? Sinds een paar jaar is het verplicht om je huisdieren te laten chippen. Dat heeft onder andere te maken met de hondenbelasting. Een chip is ongeveer zo groot als een korrel rijst. De dierenarts kan die bij de hond in de huid zetten, dat gaat met een heel eenvoudig spuitje. Op zo'n chip staat alle informatie over het dier en de eigenaar. En dat is ook heel handig als een hondje zijn baasje kwijt is.'

Ze loopt terug naar het bureau achter de balie en pakt iets uit een lade.

'Ik zal eens kijken of ze een chip heeft, want dan komen we ook meteen te weten van wie ze is!' Ze heeft een voorwerp bij zich dat Melle nog niet eerder heeft gezien. Het is zo groot als een zaklamp, maar dan platter, en grijs van kleur.

'Wat is dat?' vraagt Melle.

'Dit is een chiplezer, een apparaat dat kan zien of het hondje een chip heeft in de huid,' legt Jantien uit. 'Op de chip staat een nummer, en met dat nummer kun je in de computer opzoeken welke hond het is. Als het chipnummer is geregistreerd, dan kun je ook uitvinden wie de eigenaar is.'

Ze drukt op een knopje van de chiplezer en houdt het ding vlak bij de nek van Hummeltje. Het hondje duikt ineen en drukt zich nog vaster tegen Justa aan. Ze vindt het eng! Dan klinkt er kort *piep-piep* en Jantien haalt de chiplezer snel weer weg bij Hummeltje.

De vrouw glimlacht. 'Al gebeurd, Hummeltje! We hebben beet!' Ze kijkt op het schermpje van de chiplezer en laat het vervolgens even kort rondgaan. Er staan een hoop letters en cijfers achter elkaar. Iedereen kijkt haar opnieuw vragend aan.

Ze loopt naar de computer en drukt op een paar knoppen.

'Nu gaan we dit nummer opzoeken in het programma,' legt ze uit. 'Hopelijk komen we zo snel te weten wie het baasje is. En we kunnen dan ook meteen zien hoe het hondje echt heet!'

Koen, Lieke, Melle en Justa kijken elkaar even aan. Wat zal Jantien raar opkijken als ze straks merkt dat 'Hummeltje' ook de echte naam is van het hondje. Kennelijk heeft ze Melle en Stakker niet herkend uit de krant, ze weet dus niets af van Melles bijzondere talent om met honden te kunnen praten.

Terwijl ze wachten totdat de vrouw klaar is met het opzoeken in de computer, kleppert het kattenluikje in de deur heen en weer. Er komt een derde kat de ruimte binnen lopen, zwart met witte vlekken. Als ze Stakker ziet, verstijft ze. Ze zet een hoge rug op en blaast kwaadaardig. 'Sssssss! Mioooow!' Een rauw, angstaanjagend geluid komt uit haar keel zetten.

Stakker kijkt verschrikt met grote ogen naar de boze poes en verstopt zich tussen de benen van Melle. 'Wieuw... wat een eng beest is dat!' piept ze, 'wat moet ze van me?'

De poes blaast nog een keer.

'Tita! Pssst, hou daarmee op!' roept de vrouw aan het bureau zonder weg te kijken van het scherm.

De poes schrikt op, maakt zich vliegensvlug uit de voeten en glipt via hetzelfde kattenluikje weer naar buiten.

Stakker ontspant zich en gaat op de grond liggen. 'Wat een raar beest was dat,' gromt ze.

De twee poezen op de balie zijn nog steeds onverstoord in diepe slaap.

'Kijk eens aan! Ik heb haar gevonden.' De vrouw kijkt hen opgetogen aan en begint voor te lezen van het scherm.

'Nummer twee zes drie drie vijf vijf XPH, geregistreerd bij dierenkliniek Het Aquarium. Kijk eens aan... Er staat hier dat ze twee maanden geleden is gestolen. Het gaat om een teefje, klein, zwart-witte kortharige vacht, geboren op 14 mei 2006, eigenaresse is mevrouw Daphne van Duuren, woonachtig te... Ja, die wijk ken ik wel! En de naam van het hondje is... hè? Hoe kan dat nou?'

'Hummeltje!' zeggen Melle en Justa in koor. Lieke en Koen proberen hun lachen in te houden.

'Hoe wisten jullie haar naam? Kennen jullie het hondje soms al?' vraagt de vrouw een beetje argwanend. Ze kijkt hen om de beurt priemend aan. 'Júllie hebben haar toch zeker niet gestolen?'

Koen houdt sussend zijn hand in de lucht. 'Nee, mevrouw, zeer zeker niet! Het is een lang verhaal om uit te leggen hoe wij haar naam weten.' Hij kucht. 'Ahum. Om dat nu allemaal te vertellen gaat wat ver. Misschien een andere keer. Luistert u anders vanmiddag eens naar de herhaling van het radioprogramma *Koffie verkeerd*. Dan begrijpt u het misschien. Ik kan u echter verzekeren dat wij de waarheid spreken en dat dit hondje vandaag door ons in het park is gevonden, vastgebonden aan een boom.'

'En wij willen heel graag haar echte baasje spreken! Wie zei u ook alweer, mevrouw Daphne van...?' Melle staat te popelen om Hummeltje met haar bazinnetje te herenigen. En natuurlijk om erachter te komen wat er precies met het hondje is gebeurd.

'Daphne van Duuren! Melle, ken je die niet? Ze is een heel bekende actrice!' Liekes stem klinkt anders dan normaal, haar ogen staan een beetje glazig. 'Ze speelt bij alle grote toneelgezelschappen, heeft in heel goeie films gespeeld... Ze is een van de beste actrices van Nederland! Heb je echt nog nooit van haar gehoord?'

Wat een emotie!

'Dag, mevrouw Van Duuren, u spreekt met Jantien van het dierenasiel De Kwispelstaart.'

'...'

'Nee, ik bel u niet vanwege een voorstelling of een speciale actie. Ik wil u nergens mee lastigvallen. Het zit zo, er zijn hier een paar mensen in ons asiel die een hondje hebben gevonden, vastgebonden in het park.'

'...'

'Jawel, dat is precies wat ik u wilde vertellen. Het hondje heeft een chip en volgens die chip gaat het inderdaad om uw hondje Hummeltje.'

'...'

'Ach, mevrouw, u hoeft niet te huilen! Alles gaat goed met Hummeltje, ze is er goed aan toe, hoor! De mensen die haar hebben gevonden, hebben haar goed verzorgd en...'

'...'

'Aha, ja, natuurlijk kan dat. Tenminste, ik zal het hun vragen. Komt u dan nu hierheen?'

'...'

'Ja, goed, een momentje, graag.'

Jantien wendt zich tot Koen. 'Mevrouw Van Duuren wil jullie dolgraag ontmoeten, haar eigen auto staat net bij de wasserette maar ze kan met een taxi hierheen komen. Kunnen jullie nog even wachten?'

Koen knikt en ziet de rest ook instemmend knikken, ja,

natuurlijk willen ze Daphne van Duuren graag ontmoeten!

'Maar ze hoeft geen taxi te nemen, hoor,' zegt Koen, 'wij rijden wel naar haar huis toe, dan is Hummeltje tenminste lekker snel weer thuis!'

Jippie! denkt Melle en hij knipoogt naar Justa. Lieke glimlacht blij, ze kan niet geloven dat ze zo direct misschien wel dé Daphne van Duuren in het echt gaat zien. En nog wel bij haar thuis!

Jantien zet de hoorn weer tegen haar oor. 'Mevrouw Van Duuren? De mensen komen net zo lief naar uw huis toe, ze nemen Hummeltje dan direct mee. Vindt u dat ook een goed idee?'

'...'

'Dat is dan afgesproken. Als u dan deze week nog een keertje bij ons in het asiel langskomt om wat formulieren in te vullen, zou dat heel fijn zijn. Dat is namelijk nodig voor de administratie.'

'...'

'Dank u wel, daar maakt u ons natuurlijk heel blij mee. We kunnen giften goed gebruiken!'

Het gesprek is afgelopen, Jantien legt de telefoon neer en kijkt hen vrolijk aan. 'Ik denk dat jullie zo meteen iemand hééééél blij gaan maken!'

Ding-dong! Ding-dong!

De deurbel klingelt precies zoals je verwacht bij het grote, statige huis; heel chic. In de villawijk van de stad, met uitzicht op de weilanden, ligt het huis van Daphne van Duuren. Melle kent de wijk alleen van het erdoorheen fietsen op weg naar de polders. Hij heeft zich al vaak genoeg afgevraagd wat voor mensen er zouden wonen, in al die grote mooie huizen met die geweldige tuinen erbij.

'Wef! Wef!'

Hummeltje is de auto uit gesprongen zodra ze voor de deur van de villa parkeerden, de armen van Justa heeft ze nu opeens niet meer nodig. Opgewonden drentelt ze heen en weer voor het huis, ze slaakt kleine kreetjes en snuffelt druk aan de stenen en de planten. Ze gaat zelfs een paar keer door haar achterpootjes om een klein plasje te doen.

Melle heeft Stakker aan de lijn gedaan, je weet immers nooit hoe mensen het vinden om een grote, vreemde hond op bezoek te krijgen.

'Waarom doet Hummeltje steeds van die kleine plasjes?' vraagt hij Stakker. 'Waarom plast ze niet gewoon in één keer alles eruit?'

'Grrrr.' Stakker gromt kort. 'Ze wil haar geur achterlaten op zoveel mogelijk plekken bij haar huis. Zodat iedereen weet dat dit haar terrein is. Wist je dat niet?'

Ach ja, natuurlijk. Melle had er even niet aan gedacht, maar hij herinnert zich dat hij het al eens heeft gehoord. Zo doen honden dat, door middel van hun plas verspreiden ze hun geur. En met die geur laten ze andere honden weten dat zij op die plek zijn geweest.

Er borrelt een vraag in hem op. Hij wendt zich opnieuw tot Stakker. 'Maar waarom doe jij dat dan niet? Ik zie jou dat nooit doen!'

'Waf! Omdat ik tot nu toe nog niet zo goed weet wat míjn terrein eigenlijk is! Bovendien kan me het ook niet zoveel schelen. De ene hond heeft dat meer dan de andere, waf!' Stakker blaft het hem toe met een uitdrukking op haar snuit van 'Dat snap je toch wel!'

Melle haalt zijn schouders op. Nee, daar had hij nog niet bij stilgestaan. 'Hoe moet ik dat nu ruiken?' vraagt hij.

'Woehoef!' Stakkers blaf lijkt op een lach. 'Nee, zeker niet als ik mijn geur niet achterlaat, dan valt er ook niks te ruiken, whahaf!'

Melle moet glimlachen. Hoeveel mensen zouden weten dat honden soms ook gevoel voor humor hebben?

Piiiiiep! De zware chique deur gaat piepend open. Twee grote blauwe ogen met fijne rimpeltjes eromheen kijken vol verwachting naar buiten.

'Hummeltje, mijn lieve kleine Hummeltje!'

Daphne van Duuren schreeuwt het bijna uit als ze haar kleine hondje terugziet. De tranen springen in haar ogen en ze gaat direct door haar knieën om Hummeltje te begroeten. Als een zwart-witte schim vliegt Hummeltje in haar armen en ze begraaft zich in haar wijde gebloemde blouse. Alleen haar kleine, kwispelende staartpuntje is tussen de plooien te zien. Melle voelt zijn ogen prikken en kijkt beschaamd naar de grond. Vanuit zijn ooghoeken ziet hij dat Justa snel haar tranen wegveegt. Zij ook, dus.

Dan komt Hummeltje weer tevoorschijn uit de bloemenblouse en likt ze het gezicht van haar bazinnetje helemaal af!

'O, wat een emotie!' zegt de grijze actrice en ze houdt Hummeltje stevig vast. 'Ik dacht dat ik je kwijt was! Ik had het al bijna opgegeven! Twéé máánden!'

Sjiewawa

Niet alleen de blouse van Daphne van Duuren heeft een bloemenmotief. Wanneer ze achter haar aan door de hal naar de woonkamer lopen en de keuken passeren, komen er wel tientallen verschillende bloemen voorbij! Het behang; de kleden op de grond; de gordijnen en ook de kussens op de banken; álles is versierd met bloemen. Bovendien staat het overal vol met echte bloemen en er hangt een frisse en fruitige geur door het huis. Het ruikt heerlijk!

Hummeltje dribbelt vrolijk achter haar bazinnetje aan, die maar door blijft babbelen – 'Zeg maar gewoon Daphne, hoor!' – en springt af en toe tegen haar benen op. De actrice stoort zich er niet aan en loopt vrolijk door.

'O, wat een prachtige dag is het vandaag! Als ik vanochtend had geweten dat dit zou gebeuren, had ik tien flessen van de allerbeste champagne en de lekkerste chocoladetaart van de stad laten bezorgen. Hummeltje is terug! Wat een wonder!'

Lieke doet haar best dicht bij de actrice te blijven en af en toe reageert ze met een 'Ja, ja zeker!' op haar woorden.

Melle, Justa en Stakker lopen wat rustiger achter hen aan en Koen komt als laatste. Hij kijkt nieuwsgierig om zich heen naar alle bloemenpracht. Dan komen ze aan in de woonkamer en Daphne gebaart hun te gaan zitten op de twee ruime banken. Tussen die grote banken in staat een heel klein bankje, zwart van kleur met een prachtig wit wollen kleed eroverheen. Het valt nogal op, omdat het zo klein is en bovendien heel anders van kleur dan de andere meubels. Juist wanneer Melle zich stilletjes afvraagt wat dat rare minibankje daar doet, springt Hummeltje erin en nestelt zich comfortabel in het midden.

'Dat bankje is zeker speciaal voor Hummeltje?' hoort hij Justa vragen.

Daphne lacht luid en hartelijk. 'Ha ha, ja zeker! Al die tijd heb ik naar dat lege bankje gekeken, met pijn in mijn hart. Het maakte me zo verdrietig. Maar kijk nu! Wat een prachtig gezicht!' Vertederd en met een grote glimlach kijkt ze naar Hummeltje op het bankje. Het hondje ligt er alsof ze nooit is weggeweest.

Klik!

Het bekende geluid van Liekes mobieltje is te horen. Ze heeft een foto van het hondje gemaakt.

'En nu gaan jullie allemaal lekker zitten, ik haal thee en koekjes en dan moeten jullie het hele verhaal vertellen. Ik wil alles weten! Alles!'

En – *zoef!* – weg is de opgewonden actrice weer, richting keuken.

'We maakten haar halsbandje los en namen haar mee naar huis. En ze vertelde me dat ze niet door haar eigen baasje in het park was achtergelaten, maar door iemand die haar een tijdje geleden zomaar had opgepakt en meegenomen. Toen wisten we dat er iets raars met haar gebeurd moest zijn. Daarna zijn we naar het dierenasiel gegaan.'

Melle hapt naar lucht, hij praat zo snel dat hij vergeet adem te halen. Daphne zit tegenover hem in een grote leren stoel en valt hem tijdens zijn verhaal geen enkele keer in de rede.

Tot nu toe.

'Hoe bedoel je, Hummeltje vertélde jou...?'

Oeps! Melle knippert met zijn ogen en kijkt, om hulp zoekend, naar zijn vader. Precies op dat moment haalt Koen een plastic mapje uit de binnenzak van zijn jasje.

'Misschien is het verstandig als u dit eerst leest voordat we verder praten,' zegt hij. Hij overhandigt het plastic mapje aan de actrice en zij bekijkt aandachtig wat er in zit. Het is het krantenartikel over Melle en Stakker en hun avontuur in Spanje.

Daphne zet haar leesbrilletje op, leest, kijkt op, richt dan haar ogen op Stakker, die languit op het gebloemde vloerkleed op een groot bot ligt te kauwen dat de actrice haar heeft gegeven. Terwijl de actrice verder leest, drinken Melle en de anderen thee en eten een paar koekjes.

'Dus dat is jullie verhaal,' zegt Daphne met kalme stem zodra ze is uitgelezen. Ze knikt langzaam en haalt het leesbrilletje van haar neus. 'Ik begrijp het.'

Melle had verwacht dat de net nog zo opgewonden vrouw hem nu zou overspoelen met allerlei vragen, maar ze blijft juist heel rustig. Zou ze direct geloven dat hij met honden kan praten? Daphne lijkt zijn gedachten te lezen.

'Ik heb heel wat dingen meegemaakt in mijn leven. In de wereld van film en toneel is niets wat het lijkt! Zowel op als achter het podium. Ik kijk nergens meer van op, hoor. Met honden kunnen praten? Ach ja, waarom niet?'

Het is even stil in de kamer. Melle is opgelucht, hij vindt de actrice nu al helemaal oké. Hij ziet meteen zijn kans schoon en stelt de vraag waar hij al een poosje mee rondloopt.

'Hoe is Hummeltje eigenlijk zoekgeraakt? Hoe bent u haar kwijtgeraakt? Is ze werkelijk door iemand gestolen?'

Daphne sluit even haar ogen. Dan haalt ze diep adem en

vertelt: 'Het was op een zaterdagmiddag. We hadden net boodschappen gedaan en ik zat op een terrasje samen met een vriendin een kopje koffie te drinken. Hummeltje had ik met een lijntje vastgemaakt aan de tafelpoot. Dat is ze gewend, ze vindt het heerlijk om onder de tafel te liggen en de kruimels van onze broodjes en gebakjes op te vangen. Dat gebeurde toen ook weer, ze scharrelde tussen de tafel en onze stoelen door. Mijn vriendin en ik voerden een gesprek, ik geloof dat het over een musical ging die we hadden gezien. Het ene moment zat Hummeltje nog onder mijn stoel, en het andere moment...' Daphne slikt als ze zich de situatie weer herinnert en haar stem klinkt alsof ze het benauwd heeft. '... het andere moment was ze verdwenen. Het lijntje zat nog vast aan de tafelpoot, maar Hummeltje was weg. Spoorloos.'

'Wef! Wef!'

Iedereen kijkt verwonderd naar het kleine hondje op het minibankje. Ze lag toch te slapen?

'Wef! Wef!' blaft Hummeltje nog een keer, ze staat nu rechtop in haar bankje.

Daphne richt zich tot Melle. 'Vertel jij ons nu eens wat ze wil zeggen! Jij verstaat haar toch?'

Melle knikt. 'Ze zegt dat iemand haar onder de tafel heeft losgemaakt van het lijntje. Een vrouw met harde handen die rook naar koffie en tabak.'

'Wehef! Wehehef!' blaft Hummeltje en ze vertelt verder. 'Ze maakte me heel stiekem los, zodat niemand er iets van merkte. En ze gaf me eerst een lekker worstje, dat ik natuurlijk direct opat. Dat was een beetje dom van me, want daardoor heb ik mijn bazinnetje niet kunnen waarschuwen. Ik was nog aan het eten van het worstje en... voordat ik het wist zat ik al in een auto!'

Melle vertelt het hele verhaal van Hummeltje zo duidelijk mogelijk na. Wat een geluk dat het hondje zich nu wel alles kan herinneren. Ze is natuurlijk weer helemaal op haar gemak nu ze thuis is.

'Maar weet je ook waaróm die vrouw je heeft meegenomen?' vraagt Melle. 'Wat heeft ze met je gedaan?'

Hummeltje piept onrustig en draait rondjes op het minibankje totdat ze een lekker kuiltje heeft gevonden waar ze in gaat liggen. Melle en de rest wachten geduldig af totdat ze klaar is om verder te vertellen.

'Ik weet niet precies waarom ze me heeft meegenomen,' piept Hummeltje. 'Ze stopte me in een grote kamer met nog een paar andere honden. We leken allemaal een beetje op elkaar, en we waren allemaal even klein. Dat was wel fijn. Sommige waren net als ik weggehaald bij hun baasje. En een paar hadden net een nestje puppy's gekregen. We konden het gelukkig wel goed met elkaar vinden.'

Melle fronst zijn wenkbrauwen. Het is nog steeds een raar verhaal. Hij merkt dat ook Stakker onrustig wordt, ze drentelt heen en weer en gromt af en toe.

'Grrrr, rare toestanden! Grrrr, vreemde mensen! Kregen jullie wel voldoende te eten?' vraagt ze aan Hummeltje.

Hummeltje piept. 'Ja, we kregen elke dag eten en drinken, alleen mochten we niet zo vaak naar buiten. Ik heb heel vaak mijn plas op moeten houden! Soms kwam er een nieuw hondje bij ons op bezoek voor een paar uurtjes. Dat was trouwens altijd een mannetjeshond. Terwijl wij allemaal vrouwtjes waren.'

Als Melle dit aan de rest vertelt ziet hij hoe de gezichtsuitdrukking op zijn vaders gezicht verandert. Het lijkt wel alsof Koen ineens een moeilijke kruiswoordpuzzel heeft opgelost.

Ook Daphne knikt heftig met haar hoofd. 'Zie je wel! Zie je wel!' fluistert ze opgewonden.

Melle en Justa kijken elkaar verbaasd aan. 'Snap jij er iets van?' vraagt Melle haar. Daphne hoort zijn vraag.

'Lieve kinderen, ik zal het jullie uitleggen. Er zijn helaas mensen op deze wereld die geld willen verdienen aan honden.'

Melle en Justa kijken haar nog steeds verbaasd aan. Wat bedoelt ze toch?

'Het zit zo,' vervolgt ze, 'Hummeltje lijkt ontzettend op een chihuahua, dat is een heel populair rashondje.'

'Een sjiewawa?' vraagt Lieke nieuwsgierig. 'Is dat er zo eentje als waar die fotomodellen mee onder hun arm lopen?'

Daphne knikt. 'Precies, zo eentje bedoel ik. Van die heel kleine, lichte hondjes. Hummeltje heeft daar heel erg veel van weg, vind je niet? Maar goed, een echte chihuahua kost soms wel vijfhonderd of zelfs duizend euro. Belachelijk, natuurlijk. Maar sommige mensen maken daar misbruik van en gaan zelf dat soort rashondjes fokken, zonder dat ze er een vergunning voor hebben. Om de hondjes te kunnen verkopen natuurlijk, ze doen het alleen maar voor het geld, niet omdat ze van de dieren houden.'

Justa fronst haar wenkbrauwen. 'Hoe gaat dat dan, het fokken van hondjes? Dat is toch gewoon zorgen dat een hondje puppy's krijgt?'

Daphne kijkt, hulpzoekend, naar Koen.

Melles vader knikt. 'Eigenlijk wel, ja. Maar om een chihuahua-pup te krijgen moet je dus ook twee chihuahua's met elkaar laten paren, dus niet twee hondjes die elk van een ander ras zijn.'

Melle luistert aandachtig. Hoe meer hij hoort, hoe meer hij ervan begint te snappen. 'Ze laten dus een sjiewawa-mannetje paren met een sjiewawa-vrouwtje. De puppy's die worden geboren, verkopen ze voor heel veel geld.'

Justa snapt het nu ook. 'Ze wilden Hummeltje dus gebruiken als moeder! Om pups te krijgen!' roept ze uit.

Daphne zucht diep en kijkt bezorgd naar haar hondje. Maar dan beginnen haar ogen langzaam te stralen en een kleine glimlach vormt zich rond haar lippen. 'Wat zullen die mensen op hun neus hebben gekeken toen ze merkten dat het maar niet wilde lukken, hi hi hi,' giechelt ze. 'Wat een geluk dat ik een paar jaar geleden het advies heb opgevolgd van de dierenarts. Hummeltje is toen gesteriliseerd!'

Een onverwacht telefoontje

'Ha ha ha! Dat is nog eens een grap!' Koen buldert van het lachen en Daphne giechelt mee.

Gesteriliseerd? Melle voelt zich dom. Hij heeft al zoveel vragen gesteld en nu weet hij ook al niet precies wat dit woord betekent. Het heeft iets te maken met drachtig zijn, weet hij, maar wat precies? Hij werpt een blik opzij naar de anderen. Zou Justa soms...? Nee, ook zij kijkt vragend naar de lachende Koen en Daphne. Melle zoekt de ogen van Stakker, maar zij kijkt hem nog verwarder aan dan hij zich voelt. Kennelijk heeft zijn hondenvriendin helemaal geen idee waar ze het over hebben.

Lieke kucht en schuifelt op de bank heen en weer. 'Gesteriliseerd, dat betekent dat Hummeltje nooit meer drachtig kan worden. Een sterilisatie is de naam van een speciale operatie. Dan haalt de arts vanbinnen iets weg, waardoor er geen bevruchting meer plaats kan vinden. Toch, pap?' Ze kijkt Koen aan.

'Precies!' antwoordt hij. 'Nooit meer kleintjes, dus!'

Zie je wel! Melle knikt opgelucht. Hij dacht al wel dat het zoiets was. Nu snapt hij ook waarom ze zo moesten lachen. Als Hummeltje niet drachtig meer kan raken, komen er ook nooit meer pups van haar. Slim!

Justa bijt op de nagel van haar pink, ze kijkt bedenkelijk. 'Is dat dan niet zielig voor Hummeltje?'

Koen schudt zijn hoofd. 'Zielig? Welnee, hoe kom je daarbij? Een teefje – dat is de naam voor een vrouwtjeshond – kan wel twee keer per jaar een nestje krijgen. Denk je dat het zo'n pretje is voor een hond om zo vaak puppy's te krijgen en te verzorgen? Soms zitten er wel tien puppy's in een nestje. De worp alleen al is een hele klus voor de moeder. En die pups moeten allemaal wekenlang drinken! Dat kost de moederhond een hoop energie!'

Justa knikt begrijpend. Tien hongerige puppy's, dat zal inderdaad wel veel werk zijn.

Lieke staat op van de bank. 'In Spanje heb ik er voor het eerst iets over gehoord. In het dierenasiel waar we toen op bezoek waren, worden geloof ik alle honden gesteriliseerd en gecastreerd. Omdat er anders steeds meer zwerfhonden bij komen.'

Daphne knikt haar enthousiast toe. 'Wat goed dat ze dat daar doen! Er zijn al genoeg zielige straathonden op de wereld, die moeten allemaal nog een baasje krijgen. Als er steeds meer pups bij komen, zijn er nooit genoeg baasjes voor al die honden!'

Melle heeft zwijgend geluisterd. Alles valt steeds meer op zijn plek. Tegelijkertijd dringt een belangrijke vraag zich bij hem op: Hoe zit het eigenlijk met Stakker? Zij is ook een vrouwtjeshond. Kan zij nog kleintjes krijgen?

Tiediediediep! Tiediediediep!

Met een snelle handbeweging grijpt Koen zijn mobieltje uit zijn broekzak. 'Hallo, Koen de Vriend.'

'...'

'Hallo, Jantien! Ja hoor, we hebben Hummeltje veilig teruggebracht naar haar bazin mevrouw Van Duuren. Ze zijn allebei erg blij!'

'...'

'O...?' Koen kijkt veelbetekenend naar de anderen. 'Dat is wel heel erg toevallig, ja... Verdorie!'

Wat zou er aan de hand zijn? denkt Melle.

Zijn vader luistert naar wat er aan de andere kant van de lijn wordt gezegd. Hij knikt en kijkt naar Melle. 'Ja, dat klopt, dat is mijn zoon. Wilt u soms even met hem daarover praten?' Hij reikt Melle het mobieltje aan. 'Het is Jantien, van het dierenasiel. Ze wil met je praten, over een paar gestolen chihuahua's.'

Gestolen sjiewawa's? Nog meer?

'Hallo, met Melle.'

'Hallo, Melle, met Jantien. Sorry dat ik je lastigval, maar we hebben zojuist een melding gehad van een vermiste chihuahua, een teefje. Al twee dagen lang kunnen de mensen haar niet meer vinden en ze denken dat ze is gestolen toen ze haar even bij de supermarkt aan een paaltje hadden vastgebonden. Hun verhaal lijkt precies op het verhaal van Hummeltje. En dat vind ik wel erg toevallig.'

Melle voelt de woede in zich opkomen, vooral nu hij een vermoeden heeft waaróm het hondje is gestolen. 'Ongelooflijk!' zegt hij. 'Wat voor mensen doen nu zoiets?'

'Precies,' antwoordt Jantien, 'dat vragen wij ons ook af. Ik heb wel een vermoeden, natuurlijk. Vooral omdat het weer om een teefje gaat van hetzelfde, dure ras. Een chihuahua. Dat is al de zoveelste in de afgelopen maanden. Maar voordat we aangifte doen, zou ik graag iets meer zekerheid willen hebben. Ik weet nu dat je met honden kunt praten, en daarom bel ik jou. We hebben je hulp nodig.'

Bang voor iets ergs

Zwijgend kijken Melle en Justa elkaar aan. Ze nemen nog maar een koekje. Stakkers kop ligt op Melles schoot, ze ligt inmiddels uitgestrekt op de gebloemde bank van Daphne te dutten. 'Laat maar gaan, hoor!' had de actrice gezegd toen Melle zijn hond had willen tegenhouden terwijl ze op de bank sprong. 'Die bank stofzuig ik toch elke dag!'

Hummeltje slaapt weer, opgerold als een bolletje wol, op haar eigen minibankje. Het wachten is totdat ze wakker wordt en Melle rustig met haar kan praten.

Jantien was al snel na hun bezoek te weten gekomen dat Melle met honden kan praten. Ze had Koens advies opgevolgd en de herhaling van *Koffie verkeerd* beluisterd. Kort daarna kwam de melding binnen van het vermiste hondje en ze had direct aan Melle gedacht. Haar vraag door de telefoon was heel duidelijk: 'Kun jij niet helpen om de vermiste chihuahua op te sporen?'

Nadat Melle het telefoongesprek had beëindigd, had hij de rest ingelicht. Ze waren het er al snel over eens: Melle en Stakker zouden Jantien gaan helpen om de hondendief op te sporen, en natuurlijk om zo snel mogelijk het andere vermiste hondje terug te krijgen.

'Wat vreselijk, nog een chihuahua die het slachtoffer is van deze slechte mensen! En dan de arme baasjes... Ik weet precies hoe ellendig zij zich nu voelen!' had Daphne uitgeroepen.

Er was snel actie nodig en Melle wilde aan de slag. Maar

hoe? Op dit moment wisten ze eigenlijk nog maar heel weinig over de hondendief.

'Je moet meer te weten zien te komen via Hummeltje,' zegt Justa. 'Ze weet vast nog veel meer dan wat ze tot nu toe heeft verteld. Over de persoon die haar heeft meegenomen en over de plek waar ze al die tijd heeft gezeten. Als je erachter komt waar ze heeft vastgezeten, kun je vanzelf de hondendief opsporen.'

Melle knikt, hij denkt precies hetzelfde. 'Ik zal straks nog eens goed met haar gaan praten.'

Wie zou verder nog een goede tip kunnen geven? Ze denken na. 'Stakker en Sambal hebben haar gevonden in het park. Misschien dat zij wel een speciaal geurtje hebben opgesnoven?' oppert Lieke. 'Sambal is toch speurhond bij de politie geweest? Die zal vast en zeker de geur kunnen opsporen!'

'Weet je wat?' zegt Daphne. 'Melle en Stakker blijven lekker hier, bij mij thuis. Als Hummeltje straks wat is uitgerust, kan Melle rustig met haar praten, gewoon hier. Want ik wil niet dat Hummeltje nu alweer van huis weggaat. Bovendien zal ze waarschijnlijk meer vertellen in haar eigen, vertrouwde omgeving. Laat die Sambal anders ook maar hierheen komen. Als hij zo'n goede speurhond is, kan hij jullie vast wel helpen. Ik maak voor iedereen iets lekkers klaar. Wat vinden jullie ervan?'

Het is een prima idee. Koen en Lieke gaan meteen op weg om Sambal te halen. Justa wil graag bij Melle en Stakker blijven. Ze is stiknieuwsgierig naar wat Hummeltje nog meer zal vertellen.

'Of wil je liever dat ik wegga?' vraagt ze aan Melle.

Melle kijkt raar op bij haar vraag. Waarom zou ze weg moeten?

'Waarom vraag je dat? Natuurlijk blijf je erbij! Je hebt toch zeker alles vanaf het begin meegemaakt? En jij kunt haar ook vragen stellen, hoor. Ik vertaal het wel.'

Justa glimlacht. 'Ja, maar ik dacht... misschien heb je er liever geen pottenkijkers bij als je met Hummeltje praat.'

'Joh, dat maakt toch zeker niks uit!' zegt Melle.

'Woewoewoef!' Stakkers blaf lijkt wel op het geluid van een loeiende koe. Ze is het helemaal met Melle eens.

Ding-dong! De deurbel kondigt de komst aan van Sambal, die wordt afgeleverd door Koen en Lieke. Hummeltje slaapt overal doorheen en merkt er niets van dat Sambal met opgeheven kop en kwispelende staart de woonkamer binnenkomt. Koen en Lieke zijn teruggegaan naar huis, om de rest van de familie over de gebeurtenissen in te lichten.

De stevige ex-politiehond is opgetogen en nieuwsgierig; hij heeft nog geen idee waarom hij hier is. Stakker springt van de bank af en begroet hem. Ze maakt opgewonden geluiden, Sambal houdt zijn kop scheef en luistert naar haar.

'Stakker vertelt hem wat er is gebeurd,' legt Melle uit aan Justa en Daphne.

'Woef!' Sambal blaft verontwaardigd als hij het hele verhaal heeft gehoord. Hij loopt op Hummeltje af en geeft haar een zacht likje over haar slapende kopje. 'Wat een narigheid allemaal,' gromt hij, 'alsof het al niet genoeg ellende was om Hummeltje vanochtend aan de boom vastgebonden te ontdekken. Maar we zullen ze vinden, grrr... Ik weet nog precies wat ik heb geroken in het park. Ik zal die hondendieven direct herkennen als ze in de buurt zijn, mijn neus laat me nooit in de steek!'

Melle en Justa vinden het moeilijk om Hummeltje wakker te maken. Ze moet uitgeput zijn van alle gebeurtenissen. Maar het duurt nu wel heel lang voordat ze uit zichzelf wakker wordt, en het wordt steeds later.

'Daar weet ik wel wat op,' zegt Daphne en ze gaat naar de keuken. Vijf minuten later is ze terug, met een groot dienblad in haar handen. De drie bakken die erop staan verspreiden een sterke geur: vlees! Sambal en Stakker staan direct op, kwispelen met hun staart en trekken met hun snuit: mmmm, lekker!

Zodra Daphne begint te schuiven met de bakken kijkt ook Hummeltje opeens op van haar bankje.

'Wef!' Ze laat een kort kefje horen zodra ze ziet dat haar bazinnetje de bakken op de grond neerzet. Dan neemt ze een enorme snoekduik naar een van de bakken! Sambal en Stakker merken haar niet op, die staan al uit de andere bakken het lekkers te eten. Hummeltje schrokt alles heel snel naar binnen, ze is zelfs sneller dan de twee andere honden! Als de bak leeg is kijkt ze tevreden en likkebaardend om zich heen.

'Wef!' keft ze opnieuw. 'Dit is de smaak van thuis, een echt stukje biefstuk, wat heb ik daar al die tijd naar verlangd!'

Daphne is duidelijk ontroerd, ziet Melle. Ze kijkt glimlachend en met betraande ogen naar haar kleine hondje.

'Nu,' zegt ze met trillende stem, 'nu is ze pas écht weer thuis.'

Na het biefstukje is Hummeltje een stuk opgeknapt. Ze wil zelfs naar buiten, een ommetje maken in de grote tuin rondom het huis.

'Vindt u het goed als we met de honden even naar buiten gaan?' vraagt Melle aan Daphne. Hij vermoedt dat Hummeltje makkelijker dingen zal vertellen als ze lekker buiten aan het lopen en snuffelen zijn.

'Ik vind het prima. Als jullie maar niet te ver gaan! Dan was ik ondertussen alle bekers en hondenbakken af.'

Justa springt op. 'Ik help wel even!'

De drie honden en Melle lopen door de glazen schuifdeuren de tuin in.

O nee! Het is weer zover, denkt Melle, en hij knijpt zijn neus dicht. Sambal heeft een scheet gelaten.

Het grote grasveld wordt omringd door struiken en bomen, en er is ook een mooie vijver in het midden. Hummeltje loopt naar de vijver en besnuffelt de keien die eromheen liggen. Sambal en Stakker vinden het struikgewas interessanter en laten Melle achter met de kleine chihuahua.

'Waf! Jij wilt dat ik je meer vertel, hè?' blaft Hummeltje plotseling.

Melle is verbaasd. Hij had niet verwacht dat het zo makkelijk zou gaan.

'Eh, ja, eigenlijk wel,' antwoordt hij. 'Je begrijpt toch ook waarom? We willen graag de andere vermiste honden terugbrengen bij hun baasjes. En ervoor zorgen dat de hondendieven geen pups kunnen verkopen voor veel geld!'

Hummeltje gaat aan de rand van de vijver zitten en zucht diep.

'Ja, dat begrijp ik. Dat wil ik ook, want ik weet zeker dat sommige van die honden hun baasjes heel erg missen. Ik wil jullie best meer vertellen, alleen...' Hummeltje aarzelt even. '... ik ben zo bang dat er iets met ze gebeurt als jullie ze vinden... Iets ergs.'

Melle schrikt. Iets ergs? Wat bedoelt ze daarmee? 'Waarom zeg je dat?' vraagt hij.

Hummeltje zucht. 'Nou, ik heb weleens wat gehoord, weet je. De mensen maakten af en toe ruzie in dat huis. De vrouw liep vaak te schreeuwen, zij riep dingen zoals dat ze beter konden stoppen met die hondentoestanden, dat het gevaarlijk was en dat ze voorzichtiger moesten zijn. Daarna hoorde ik de man roepen: "Als ze ons betrappen, dan gooi ik die beesten gewoon allemaal het kanaal in!"' Hummeltje kijkt Melle met bange ogen aan. 'Denk je dat hij dat meende?'

De ondervraging

'Het is een wit huis – wef! – met een groot grasveld erachter. En om het huis staan veel struiken en bomen, niemand kan er naar binnen kijken.'

Nu Hummeltje eenmaal heeft verteld waarom ze al die tijd bang was iets te zeggen over haar ontvoering, is ze erg opgelucht. Ze blaft en hijgt honderduit, alles wat ze zich herinnert over de verblijfplaats vertelt ze; de geuren, de geluiden, alle bijzonderheden die haar zijn opgevallen.

'Ze lieten me meestal uit als het donker was, aan de lijn natuurlijk. Soms alleen, soms samen met de andere hondjes. Eentje is een keer ontsnapt, haar halsbandje zat niet zo strak en ze kon zich eruit lostrekken. Helaas hadden ze haar weer gevangen, ze kon niet zo hard rennen.

Soms hoorde ik andere dieren langslopen, ik denk dat het grote dieren waren, ze sjokten een beetje en gingen heel rustig voorbij. Wanneer het raam openstond rook ik weleens de geur van mest. O ja, ik hoorde ook het klingelen van een belletje, soms wel uren achter elkaar!'

Melle schrijft alles op in een notitieblokje, zodat hij dat aan Justa en de rest kan laten lezen. Stakker en Sambal zijn erbij komen staan en luisteren geconcentreerd naar alles wat Hummeltje zegt, af en toe grommen ze wat.

'Grrr, misschien waren het wel paarden!'

'Grrrommm, het is buiten de stad, dat kan niet anders!'

Melle knikt, hij bekijkt zijn aantekeningen nog eens aandachtig en dan schiet hem een vraag te binnen. 'Zeg, Hummeltje, hoorde je ook veel verkeer daar? Waren er auto's?'

Hummeltje denkt even na. 'Wef wef! Nee, nu je het zegt, ik hoorde maar heel weinig auto's daar. Alleen af en toe het geronk van een heel zware motor, dat kwam dan voorbij en werd langzaam zachter. Dat was meestal heel vroeg in de ochtend. En aan het eind van de dag kwam dat geronk weer terug, maar dan van de andere kant, alsof het dezelfde weg teruging.'

Melle knikt opgetogen, precies wat hij al vermoedde. 'Dat lijkt mij een tractor! Alles wat je zegt wijst erop dat de plek inderdaad ergens op het platteland is. Ik denk dat het huis in de buurt van een boerderij staat, een boerderij met koeien. Want koeien hebben soms een bel om, en die heb je vast horen klingelen!'

Sambal gaat op de grond liggen en legt zijn voorpoten over elkaar. 'Grrr...' gromt hij bedenkelijk, 'er zijn wel tientallen boerderijen met koeien aan de rand van de stad. Mijn baas Johan neemt me daar weleens mee naartoe om te wandelen. Waar moeten we beginnen met zoeken?'

Melle zwijgt. De opmerking van Sambal zorgt ervoor dat zijn opwinding wat afneemt. De grote hond heeft gelijk; het stikt van de boerderijen rondom hun stad.

'Waf! Waf! Ho ho, wacht eens even, jullie gaan veel te snel!' blaft Stakker. 'We kunnen misschien nog wel veel meer te weten komen van Hummeltje, we zijn toch nog lang niet klaar met vragen?'

Melle haalt zijn schouders op. 'Heb jij dan nog vragen?' vraagt hij Stakker.

'Woef! Zeker!' Stakker kwispelt opgewonden en draait zich om naar Hummeltje die nog steeds naast de vijver zit.

'Als je op het grasveld was, achter het huis, wat zag je dan om je heen?'

Hummeltje denkt na. 'Om het huis stonden veel struiken en bomen. Maar er was ook een open plek, en daardoorheen zag ik grasvelden. En klei.'

Stakker gromt, ze is nog niet tevreden. 'Maar zag je verder helemaal niks? Ook niet in de verte?'

Hummeltje keft. 'Wef! O ja, in de verte zag ik wel van alles. Een kerktoren en drie van die grote flatgebouwen. Een stukje verderop stond ook nog een soort muur. Ik dacht eerst dat het een huis was of een gebouw, maar ik heb er nooit mensen bij gezien. Het lag daar heel verlaten, zomaar midden in dat veld. Heel raar eigenlijk.'

Melle maakt opnieuw aantekeningen van alles wat Hummeltje zegt.

Wat goed dat Stakker nog doorvraagt, denkt hij, er valt inderdaad nog wel wat te ontdekken, als je de juiste vragen maar stelt.

Dan merkt hij dat Justa bij hen is komen staan en stilletjes over zijn schouder leest wat hij opschrijft.

'Een verlaten muur midden in het grasveld?' vraagt ze nieuwsgierig. 'Bedoelt ze soms een oude bunker?'

Natuurlijk! denkt Melle. Wat goed van Justa dat ze daaraan denkt. Vorig jaar is hij met school nog langs de overgebleven bunkers uit de Tweede Wereldoorlog gefietst. Rondom de stad staan er een stuk of drie, de een wat dichterbij dan de andere. Melle herinnert zich die dag nog heel goed, iemand van het stadsmuseum leidde de excursie en legde uit wanneer de bunkers waren gebouwd en hoe ze in de oorlog waren gebruikt. Het maakte veel indruk op Melle.

De hondendief zou heel goed in de buurt van zo'n bunker

kunnen wonen, denkt Melle opgewonden. Ze liggen allemaal buiten de stad, tussen de weilanden. Als ze de juiste bunker kunnen vinden, scheelt dat een hoop zoekwerk! Opgetogen kijkt hij Justa aan.

'Wat goed gedacht van je! Als we alle bunkers langsgaan, kunnen we met de hulp van Hummeltjes andere aanwijzingen zeker de juiste plek vinden.' Hij staat op en het notitieblokje valt per ongeluk uit zijn handen op de grond.

'Waf!' blaft Stakker, 'onthoud wel dat je uitzicht moet hebben op de kerktoren...'

'Woef!' vult Sambal aan. '... en op drie flatgebouwen!' Ze duiken beide met hun kop naar de grond om Melles notitieblokje van de grond te pakken. Stakker heft als eerste haar kop weer op. Met glunderende ogen houdt ze het notitieblokje in haar bek.

Daphne steekt haar hoofd om de glazen schuifdeuren. 'Hebben jullie honger?' roept ze. 'Ik heb pizza's besteld!'

Het superteam

De volgende ochtend is Melle al wakker voordat zijn wekker is afgegaan, 06.10 uur geeft de klok aan. Hij werpt een blik op zijn voeteneinde, waar Stakker ligt. Ze lijkt nog in diepe slaap.

Zal hij er al uit gaan? Hij is gespannen, over een halfuurtje staat Justa voor de deur. Ze hebben afgesproken vroeg op weg te gaan om naar het huis van de hondendief te zoeken. Expres heel vroeg, zodat niemand merkt dat ze weggaan.

'Dus jullie weten eigenlijk nog niks bijzonders, behalve dat de hondendief buiten de stad woont?' had Daphne teleurgesteld gezegd tijdens de pizzamaaltijd.

Melle en Justa waren niet helemaal eerlijk tegen haar geweest. Ze hadden bijna alles verteld wat Hummeltje zich nog herinnerde over de plek, behalve over de bunker.

'Zullen we morgenochtend zelf het huis gaan zoeken?' had Justa aan Melle gevraagd vlak na ze Daphnes huis uit liepen. Melle was opgelucht, hij had haar precies hetzelfde willen vragen. Ze wilden zélf de hondendief opsporen! Met de hulp van Stakker en Sambal, natuurlijk. Met zijn vieren vormen ze een perfect team. Hummeltje hoeft niet eens mee, aan haar aanwijzingen hebben ze genoeg om de plek te vinden.

Ze hebben verder niemand wat verteld, zelfs Lieke niet. Zij zou misschien wel haar mond voorbijpraten tegenover Daphne. Melle voelt zich daar wel een beetje schuldig over. In Spanje heeft Lieke immers ook heel goed meegeholpen om de gifstrooiers te pakken. Maar ja, veel mensen bij een geheim plan betrekken is nooit goed, dan komt het altijd sneller uit. En dat is nu juist niet de bedoeling.

Melle gaat rechtop zitten in bed, Stakker voelt hem bewegen en heft direct haar kop op. 'Is het al tijd?' gromt ze.

Melle glimlacht, legt zijn hand op haar rug en knikt. 'Ja, bijna,' fluistert hij.

Stakker springt behendig van het bed af en rekt zich uit. Melle glijdt onder de dekens vandaan en loopt naar zijn klerenkast. Hij trekt de grote onderste lade open en pakt zijn verrekijker. Die kan nog weleens heel goed van pas komen, denkt hij. Uit het hanggedeelte van de kast pakt hij zijn favoriete korte broek, een donkergrijze die een beetje flodderig om zijn benen hangt, lekker luchtig zonder dat hij hem voelt. Verder trekt hij een simpel lichtgrijs T-shirt en een bruin jack met capuchon aan, vooral geen felle kleuren want hij mag niet opvallen.

Zo zachtjes mogelijk lopen Stakker en hij door het huis naar de tuindeur. Het is stil in huis, iedereen ligt nog te slapen. De gordijnen zijn dicht, maar Melle ziet dat het buiten al een beetje licht is. De sleutel zit in het slot, dus de tuindeur gaat probleemloos open. Stakker glipt voor Melle de deur uit, en als ze allebei buiten staan trekt Melle de deur zachtjes achter zich dicht. *Klik*, hij valt in het slot.

De tuindeur is met een haakje afgesloten. De deur piept een beetje als Melle hem open trekt. Melle wacht even met naar binnen gaan om niet nog meer lawaai te maken.

Stakker staat met een rustig kwispelende staart naast hem. 'Gaan we met de fietskar?' vraagt ze.

Melle knikt. De bunkers liggen best ver bij elkaar vandaan en al met al is het toch zeker zes kilometer. Vannacht had hij bedacht dat Stakker en Sambal beter mee kunnen in de fietskar achter zijn fiets, anders moeten ze het hele eind rennen. Nu zou Stakker dat wel kunnen, maar Sambal? Bovendien valt het wel erg op, twee grote honden rennend naast twee kinderen op de fiets. In de fietskar zie je van een afstandje niet eens wat voor hond erin zit. Stakker is twee keer eerder mee geweest in de fietskar, ze kent het dus al een beetje.

Net als hij de fiets voor de voordeur heeft neergezet, komt Justa eraan. Ze remt en komt tot stilstand vlak naast de fietskar. 'Is Sambal er al?' fluistert ze.

Melle schudt zijn hoofd. 'Nee, ik heb gezegd dat we hem komen halen.'

Justa knikt. 'Oké.'

Ze lopen met de fiets aan de hand door de stille straat in de richting van de garage van Johan. Stakker loopt voor hen uit, oren rechtovereind, staart omhoog. Ze heeft er zin in!

'Heb je kunnen slapen?' vraagt Justa.

'Ja hoor! Een beetje vaak wakker geworden, dat wel,' antwoordt Melle.

Justa zucht. 'Pffft, ik heb wel tot drie uur wakker gelegen. Ik heb de hele tijd moeten denken aan vandaag, ik was echt zenuwachtig! Ik ben zelfs mijn kamer op gaan ruimen vannacht, omdat ik maar niet in slaap viel. Maar daardoor heb ik nog wel een supergoed ding gevonden dat we kunnen gebruiken!'

Melle kijkt haar nieuwsgierig aan. 'Wat dan?'

'Een walkietalkieset! Heb ik een paar jaar geleden met Kerstmis gekregen, maar bijna nooit gebruikt. Het is een goeie, hij werkt binnen een gebied van vijf kilometer.'

'Wauw! Dat is inderdaad handig!' zegt Melle. Weer zo'n goeie actie van Justa.

'Ja,' legt ze uit, 'het is misschien wel een beetje ouderwets, twee van die walkietalkies, maar ik dacht dat het handiger zou zijn om hiermee met elkaar te praten dan met een mobieltje. Met een walkietalkie hoef je ook geen nummer te draaien, het gaat allemaal wat sneller. Bovendien wist ik niet of jij wel een mobieltje hebt!'

'Nee,' antwoordt Melle, 'die mag ik nog niet van mijn ouders. Lieke heeft er wel eentje, maar ook pas sinds een half-jaar.' Hij wijst op zijn rugzakje. 'Ik heb mijn verrekijker meegenomen,' zegt hij. 'Die heb ik in Spanje ook vaak gebruikt.'

Justa begint zachtjes te lachen. 'Echt moderne speurders zijn we niet, hè? Met twee honden, walkietalkies en een verrekijker. We lijken wel van die detectives uit de vorige eeuw!'

Melle grinnikt met haar mee.

'Woef!' Stakker is alert gebleven. Ze geeft een waarschuwende blaf, want ze zijn inmiddels bij de garage van Johan aangekomen. Vlak na de blaf van Stakker gaat de garagedeur open, Sambal heeft hem van binnenuit met zijn kop opengeduwd en komt naar buiten gelopen. Hij duwt de deur op dezelfde manier weer voorzichtig dicht en kijkt opgetogen en met opgestoken staart naar zijn drie vrienden. Zodra hij de fietskar ziet laat hij zijn staart hangen en kijkt hij hen wantrouwend aan. 'Grrrr,' gromt hij, 'jullie gaan me toch niet vertellen dat ik dáárin moet, hè?'

Stakker kijkt vragend om naar Melle. Melle zwijgt maar zijn blik is veelbetekenend.

'Grrrr,' gromt Sambal opnieuw, 'die dingen zijn voor kleine hondjes, toch niet voor mij? Ik sta volkomen voor gek als ze me daarin zien!'

'Sambal, het is juist de bedoeling dat níémand je ziet,' legt Melle geduldig uit, 'dáárom moet je in de kar! Als je de hele weg naast ons mee rent, dan val je veel te veel op! Bovendien is het best ver hoor, je zult doodmoe zijn als je aankomt!'

Sambal houdt zijn kop even scheef. Hij overweegt de woorden van Melle.

'Woef!' blaft hij met zijn lage basgeluid. 'Alsof ik een ouwe hond ben die niet kan rennen! Echt niet! Maar vooruit dan maar, ik zal die kar wel in gaan. Alleen voor deze ene keer, omdat het voor het goede doel is. Maar daarna nooit meer!'

Melle grinnikt zachtjes terwijl hij het tentje van de fietskar open ritst. Sambal doet wel alsof hij liever wil rennen, maar hij verdenkt de grote hond ervan dat hij eigenlijk liever lui is dan moe. Sambal heeft vast gewoon geen zin om lang te rennen!

De hond stapt aarzelend met zijn voorpoten in de fietskar, hij snuffelt een beetje en zet dan ook voorzichtig zijn achterpoten erin. Terwijl Sambal zich omdraait voelt Melle de kar flink wiebelen en hij houdt zijn fiets stevig vast.

Justa ziet hoe de kar heen en weer gaat. 'Daar past Stakker dus nooit meer bij, hè? Dat houdt dat ding nooit!'

Melle weet dat ze gelijk heeft. Sambal is zwaarder dan hij dacht.

Stakker staat er kwispelend bij. 'Waf! Geen probleem hoor, ik ren wel! Denk je nu echt dat ik moe word van die paar kilometer?'

Opgelucht kijkt Melle zijn hondenvriendin aan. Natuurlijk kan zij dat eind makkelijk rennen, weet hij, ze is niet voor niets zo slank en snel. Justa knielt bij de fietskar neer en ritst hem dicht.

Sambal kijkt een beetje benauwd. 'Woef! Ga maar snel fietsen jullie, ik heb geen zin om hier erg lang in te zitten!'

Ze stappen op en fietsen weg, Melle nog een beetje wiebelend in het begin, want dat gewicht achterop is niet niks. Stakker rent naast de fietskar mee zodat Sambal haar kan zien. Haar snuit trekt omhoog, ze ruikt iets. Al snel ruikt Melle het ook. Het is de bekende geur van... een hondenscheet! O jee, heeft Sambal er weer eentje laten vliegen?

Het spoor van de ekster

Ze zeggen niks, de hele rit niet. Zowel Melle als Justa fietst in gedachten, ze zijn allebei een beetje zenuwachtig over wat er komen gaat. Zwijgend trappen ze voort door de straten, naar de rand van de stad waar de velden zijn en waar bijna geen huizen meer staan. Stakker rent moeiteloos achter hen aan, haar tong hangt wel uit haar bek, maar haar tred is zo licht als een veertje. Ze lijkt wel van elastiek, zo soepel en sierlijk rent ze.

Er zijn nog maar weinig mensen op straat. Een paar auto's rijden langs, maar ze zien geen enkele fietser en maar een of twee voetgangers. De verkeerslichten springen toevallig net op groen als ze dichterbij komen, gelukkig maar, want anders zou Melle steeds weer vaart moeten maken na het afstappen. Hij moet er niet aan denken! Sambal achter in de kar weegt zeker drie keer zoveel als wat hij gewend is van Stakker. Zelfs op de lichte versnelling moet Melle zijn benen flink aanspannen.

Zodra ze de laatste woonwijk hebben gepasseerd en de rondweg zijn overgestoken naar de landweggetjes, beginnen ze weer te praten.

'Weten je ouders eigenlijk dat je weg bent?' vraagt Melle aan Justa.

Ze schudt ontkennend haar hoofd. 'Nee. Ik heb een briefje achtergelaten dat ik ben gaan fietsen. Dat doe ik wel vaker, dus ik denk niet dat ze zich ongerust zullen maken. En jij?' Ze kijkt hem nieuwsgierig aan. 'Jouw ouders snappen natuurlijk meteen wat er aan de hand is als ze merken dat je weg bent. Met Stakker.'

Melle knikt. 'Klopt. Maar ik ga heel vaak wandelen met Stakker, dus ik hoop dat ze dat eerst zullen denken. Maar als ik er na een poosje nog niet ben, zullen ze wel iets gaan vermoeden.' Hij haalt zijn schouders op. 'Maakt niet uit, met een beetje geluk zijn we dan alweer op de weg terug met...' Ja, waarmee eigenlijk? Ze kijken elkaar aan.

Met de gestolen hondjes? Ze gaan naar de oude bunkers en hopen het huis te vinden waar de honden worden vastgehouden. En dan?

'Wil je echt de honden proberen te bevrijden?' vraagt Justa.

'Ja, als dat mogelijk is, natuurlijk!' antwoordt Melle beslist. 'In elk geval moeten we het huis zien te vinden en ervoor zorgen dat we precies weten waar de honden worden vastgehouden. Dan kunnen we daarna de politie of de Dierenbescherming erbij halen. Maar we moeten wel opletten dat de hondendief ons niet in de gaten heeft. Je weet wat Hummeltje heeft gezegd... De hondjes mogen absoluut niet in gevaar komen!'

'Woef!' klinkt er zwaar en donker uit de fietskar. 'Zijn we er al bijna?' blaft Sambal.

Melle houdt op met trappen, laat de fiets uitrijden en remt zachtjes. Zijn fiets komt langzaam tot stilstand. Zodra hij stilstaat voelt hij pas echt hoe hard hij heeft getrapt. Hij is er een beetje misselijk van.

Hij stapt af maar blijft de fiets goed vasthouden, hij wiebelt erg door het gewicht. 'Kun jij de kar weer openmaken?' vraagt hij aan Justa.

Stakker staat er hijgend naast, ze duwt haar neus tegen de stof van de fietskar aan. 'Grrrr, gaat-ie nog een beetje, Sambal? Lekker uitgerust?' grapt ze.

Grote en sterke Sambal ziet eruit als een hoopje ellende als hij de fietskar uit komt. Staart tussen zijn poten, oren naar beneden en bovendien kwijlt hij. Wat heeft hij het benauwd gehad! De grote hond schudt zijn vacht en zijn kop flink uit. Hij doet aarzelend een paar pasjes naar voren, snuffelt wat en piest tegen een struikje aan. Hij schudt zijn vacht nogmaals uit, zijn ene oor staat gelukkig weer rechtovereind zoals het hoort. Hij heft zijn kop op en kijkt naar de anderen. 'Woef! Wat staan jullie me allemaal aan te kijken? Kom op, laten we beginnen!'

De eerste van de oude bunkers is in zicht. Ze zijn op ongeveer honderd meter afstand. Aan het weggetje waar ze op zijn komen aanfietsen, staan geen huizen, er zijn alleen maar grote weilanden. Melle pakt zijn verrekijker en tuurt naar wat er achter de bunker ligt. Hij zoekt naar de drie flatgebouwen en de kerktoren. Maar die zijn er niet, hij ziet niets anders dan weilanden en hier en daar een rij bomen.

Stakker en Sambal lopen druk snuffelend naar de bunker, ze rennen eromheen, een stukje ervandaan, weer terug.

Justa loopt in de richting van de bunker en kijkt intussen rond. 'Kijk eens met je verrekijker naar rechts, Melle. Volgens mij zie ik achter die bomen een huis!' roept ze.

Melle draait zich om naar de richting die ze aangeeft. Hij stelt zijn verrekijker scherp. 'Het is geen huis, maar een stal,' zegt hij terwijl hij blijft kijken.

'Nou? Misschien staat daar wel die tractor, of die koeien die Hummeltje steeds hoorde!' Justa komt teruggelopen.

Melle steekt zijn vingers in zijn mond en fluit. Stakker kijkt direct op en komt op hem af rennen. 'Hebben jullie al iets gevonden?' vraagt Melle.

'Waf! Niets bijzonders,' blaft Stakker, 'er komen hier wel vaker andere honden, dat is overal duidelijk te ruiken, maar we weten niet wat voor soort honden dat zijn. Hummeltjes geur hebben we nog niet geroken.'

Melle knikt. 'Zien jullie in de verte daar die stal liggen, achter de bomen?' Sambal is inmiddels ook bij hen komen staan.

Beide honden grommen instemmend. 'Kunnen jullie daar eens heen gaan en kijken of je iets ziet wat in Hummeltjes aanwijzingen voorkwam?'

Stakker en Sambal kwispelen. 'Doen we!' En weg zijn ze, Stakker voorop, in volle vaart in de richting van de aangewezen plek.

Justa kijkt Melle vragend aan. 'Wat hebben ze gezegd?'

Melle vertelt het haar. 'Als ze niks vinden, rijden we verder naar de volgende bunker, die is de andere kant op. Ik heb zo het gevoel dat het hier niet is. En zij zijn sneller dan wij op de fiets, dus als die stal niks blijkt te zijn, hoeven wij er ook niet helemaal heen.'

Justa haalt haar schouders op. 'Rij jij anders alvast maar door naar de andere bunker, ik wil eerst zelf gaan kijken bij die stal, je weet nooit wat je nog kunt vinden! Mensen zien weer andere dingen dan honden.'

Hé, dit is de eerste keer dat ze van mening verschillen. Nog voordat Melle reageert stapt Justa al op haar fiets en maakt aanstalten te vertrekken. Dan bedenkt ze zich en ze graait met haar hand in haar tas. Ze overhandigt Melle een van de walkietalkies. 'Met de knop bovenop zet je hem aan en als je met me wilt spreken, druk je het gele knopje aan de zijkant in. Goed dicht bij je mond houden. Oké?'

Melle bekijkt het apparaatje vluchtig. Hij drukt eerst op de aan- en uitknop, dan op het gele knopje en brengt het ding naar zijn mond. 'Oké, geen probleem,' zegt hij stoer in de microfoon.

Justa lacht en zet snel die van haar aan. 'Nu kunnen we praten. Tot zo!' Ze stapt op haar fiets en rijdt weg, de honden achterna die al tussen de bomen in de verte zijn verdwenen.

Melle heeft geen tijd om stil te staan bij de eigenwijze actie van Justa, want net op het moment dat ze wegrijdt, hoort hij geritsel achter zich.

Waar komt dat vandaan? vraagt hij zich af en hij kijkt spiedend om zich heen. Er zijn geen struiken of bosjes bij de oude bunker, slechts kale grond met een heel dun laagje groen erop. Daar! Weer dat ritselgeluid! Melle wordt nerveus: hij hoort duidelijk iets, maar weet niet waar het vandaan komt. Wat stom dat hij Stakker samen met Sambal heeft laten weggaan, zij had vast wel geweten waar het geluid vandaan kwam! Ten einde raad loopt Melle heel dicht naar de bunker toe en bekijkt de muren van onder tot boven.

Pok! Er valt iets op Melles schouder. In een reflex grijpt hij naar zijn schouder, maar hij voelt niks. Hij kijkt omhoog. En dan ziet hij het: precies op de rand van de bunker is een vogelnestje gebouwd, en hij ziet nog net het puntje van een vogelstaart erbovenuit steken. 'Pffff,' zucht hij opgelucht, maar tegelijkertijd ook een beetje teleurgesteld. Stiekem had hij gehoopt een aanwijzing te kunnen vinden; dat het geritsel kwam van een gestolen sjiewawa, bijvoorbeeld! Melle kijkt weer naar de grond. Helaas, een vogelnestje brengt hem niet veel dichter bij de hondendief. Of toch...? Melle bukt zich en raapt een kleine, platte zilveren penning op. Viel dat soms net op zijn schouder? Hij bestudeert het schijfje nauwkeurig, er zit wat opgedroogde modder op. Een geldmunt is het niet, want het is gladder en dunner. Melle kijkt weer omhoog. Zit er soms een ekster in het vogelnest? Een ekster verzamelt immers altijd glimmende en glinsterende dingen. De vogel heeft het vast uit zijn snavel laten vallen toen hij het nest in vloog. Of per ongeluk uit het nestje geduwd.

Melle draait het zilverkleurige penninkje tussen zijn vingers heen en weer en wrijft zo de droge modder eraf. Terwijl hij nadenkt over wat het platte muntje kan zijn, ziet hij dat Stakker in haar eentje weer aan komt rennen. Wat zou dat te betekenen hebben? Ze rent hard en komt snel dichterbij. Melle ziet haar steeds scherper: de tong hangt uit haar bek, haar oren zwiepen omhoog en omlaag, haar halsband met haar naamplaatje glinstert in de zon... Dát is het, natúúrlijk! Een hondenpenning! Vliegensvlug wrijft Melle het platte schijfje in zijn hand helemaal schoon en hij bestudeert de onder- en bovenkant. Staat er soms iets op? Ja! Melle balt zijn hand met de hondenpenning tot een vuist en steekt hem triomfantelijk de lucht in. De hondendief kan niet ver zijn, denkt hij, want ik heb het bewijs gevonden!

De geur van de penning

'Justa, hoor je me?'

'Ja, ik hoor je.'

'Ik heb iets gevonden. Iets wat ons kan helpen. Hoe is het daar, bij de schuur?'

'Ik heb net mijn fiets tegen een boom neergezet. De honden heb ik nog niet gezien! Ik ga nu om de schuur lopen, kijken of ik iets verdachts zie. Maar zeg eens, wat heb je gevonden?'

'Ik kom wel naar je toe, oké? Dan laat ik het je zien, dat is makkelijker. Stakker is bij mij, maar Sambal moet daar nog ergens zijn. Wees voorzichtig!'

'Oké, Melle, ik zie je zo!'

'Waf, waf!' Stakker blaft Melle ongeduldig toe. 'Wat heb je dan precies gevonden, Melle? Ik zie aan je dat er iets is, zeg het me dan!'

Melle antwoordt niet, in plaats daarvan buigt hij zich voorover naar Stakkers hals en klikt haar halsband los. Met zijn ene hand houdt hij de band voor haar snuit; de band is donkerrood met een witte geborduurde versiering erop. Aan het ijzeren ringetje naast de gesp hangt een zilverkleurige hondenpenning, met daarin gegraveerd: STAKKER, TEL. 06 26113584.

'Je weet toch wat dit is, hè?' vraagt hij aan Stakker. Ze kijkt hem niet-begrijpend aan. 'Het is een hondenpenning. Hierop staat jouw naam, Stakker, en het mobiele telefoonnummer van papa. Mocht je een keer verdwalen, dan kunnen de mensen die jou vinden, ons waarschuwen en opbellen. Het is net zoiets als de chip die Hummeltje heeft, maar dan eentje die iedereen meteen kan zien.'

Stakker bromt wat. 'Ik snap het idee, maar ik denk eerlijk gezegd niet dat ik jou ooit kwijt zal raken. Ik ben toch niet gek?'

Melle haalt zijn schouders op. Hij denkt eigenlijk ook niet dat dat zal gebeuren, maar Koen en Ina stonden erop om Stakker zo'n penning te geven. Melle opent zijn andere hand en houdt die voor Stakkers neus. Hij leest haar voor wat er in de penning gegraveerd staat: 'IK BEN FIEN, BRENG MIJ ALSTUBLIEFT TERUG NAAR MIJN BAASJE! TEL. 06 33444567.'

Stakker kijkt een paar seconden naar de penning, dan richt ze haar kop op en kijkt Melle uitgelaten aan. Ze kwispelt met haar staart.

'Woef! Een verloren hondenpenning! Maar wie is Fien?'

Melle bukt zich en geeft Stakker een knuffel. 'Weet je nog dat Hummeltje vertelde dat een van de hondjes zich een keer had losgetrokken tijdens het uitlaten? Misschien komt die penning wel van haar!'

Stakker zwiept met haar staart. 'Waf! Natuurlijk! We zitten vast op het goede spoor!' *Schlep!* Ze geeft Melle een lik op zijn wang.

Melle loopt naar zijn fiets en zet hem klaar in de juiste richting.

'Ik ga snel naar Justa en Sambal om ze de penning te laten zien. Kun jij nog even de ekster in de gaten houden?' Hij wijst naar het nest op de rand van de bunkermuur. 'De ekster heeft de penning ergens vandaan gehaald. Hij kan ons misschien wel naar de hondendief leiden!'

Stakker kijkt naar de vogel in het nest, alleen het kopje is zichtbaar, dat steekt net over de rand. 'Doe ik,' gromt ze, 'ik heb het altijd al leuk gevonden om vogels achterna te rennen!'

Melle stapt op zijn fiets en wil aanzetten, maar bedenkt zich en draait zich om. 'Waarom kwam je eigenlijk teruggerend?' vraagt Melle aan Stakker. 'Hadden jullie soms ook iets ontdekt?'

Stakker blaft met een loeiend geluid. 'Woehoe! Nee, nog niet. Maar ik zag dat Justa onze kant op kwam en ik wilde jou niet alleen laten. Leek me niet zo handig.'

Melle is trots op zijn vriendin. Goeie, lieve Stakker. Wat een slimme hond is ze toch!

De lege hondenkar achter Melles fiets ratelt als hij over de bobbels in de weg rijdt. Zonder gewicht erin fietst het een stuk lichter, maar de kar maakt wel veel meer herrie. Het geluid zorgt ervoor dat nog vóór Melle bij de schuur is aangekomen, Sambal en Justa hem al hebben opgemerkt. Ze wachten hem samen op bij het paadje dat naar de schuur toe loopt.

Piehieeep! Met piepende remmen houdt Melle stil, vlak voor Sambals neus. De hond deinst een beetje achteruit.

'Woef!' blaft hij. 'Kon dat niet wat voorzichtiger? Je had bijna mijn snuit beschadigd!'

Melle schudt zijn hoofd. Die Sambal, wat een zeurpiet!

Justa kijkt Melle nieuwsgierig aan. 'Laat zien!' zegt ze ongeduldig.

Melle haalt de penning uit zijn broekzak en overhandigt hem. Terwijl ze het bekijkt legt hij snel uit hoe hij de penning heeft gevonden en dat Stakker nu de ekster in de gaten houdt. 'Vogels vliegen vaak dezelfde rondjes als ze ergens een nest hebben. Misschien is de ekster wel in de tuin van de hondendief geweest.'

Justa kijkt met stralende ogen van de penning naar Melle. 'Wat een supervondst, Melle! Dit is echt een bewijs, hiermee zou je zelfs naar de politie kunnen gaan!'

Melle grijnst, hij weet het. 'Maar dat doen we nog niet. Eerst zelf zoeken! We zitten er nu al zo dichtbij! We kunnen de politie pas inlichten als we echt bewijs hebben, anders komen ze toch niet!'

Justa knikt. Ze laat Sambal aan de penning ruiken. 'Kom op, Sambal, kun je ons niet naar de plek brengen waar dit vandaan komt?'

Dat hoeft ze geen twee keer te zeggen. Sambal snuffelt van alle kanten aan het penninkje, ook likt hij er even aan. Zijn oren staan rechtovereind, zelfs het oor dat meestal naar beneden hangt. Hij is in opperste concentratie. Zodra hij de penning van onder tot boven heeft besnuffeld, richt hij zijn snuit naar de grond en begint te lopen. Hij kijkt niet op of om, volgt met zijn neus de geuren die hij opvangt en probeert zo de geur van de penning op te sporen. Melle en Justa kijken bewonderend toe.

'Je kunt wel zien dat hij een politiehond is geweest, vind je niet?' fluistert Justa tegen Melle.

Melle knikt. 'Maar wel eentje die een beetje te dik is,' zegt hij grinnikend.

Justa schiet in de lach. Gelukkig heeft Sambal het niet gehoord, die lijkt zich nergens anders meer voor te interesseren dan het opsporen van de geur.

'Woef! Woef woef!' blaft hij zwaar. 'Ik ruik wel iets, maar het is heel zwakjes! Hier bij de schuur ruik ik niks, volgens mij moeten we verder de polder in!' Hij wacht niet op het antwoord van Melle, maar gaat direct verder; kop naar beneden en staart omhoog.

Justa kijkt Melle aan. 'Die kant op, zeker? Hier ruikt Sambal niks, toch?'

Melle stapt al op zijn fiets. 'Goed geraden. Zie je wel, het is helemaal niet zo moeilijk om met honden te praten!'

Justa giechelt. Zo had ze het nog niet bekeken, maar het klopt wel. Zij heeft Sambal begrepen en hij haar, weliswaar zonder echt met elkaar te praten, maar toch heeft ze hem kunnen verstaan. Cool.

Beet!

Jeetje, wat kan Sambal snel speuren! denkt Melle, terwijl hij zijn best doet om het tempo van de grote hond bij te houden. Justa, die wat later bij de schuur is vertrokken, heeft hen nog niet ingehaald. Ze fietst tientallen meters achter hen. Terwijl Melle Sambal goed in de gaten houdt om te zien of hij al iets op het spoor is, kijkt hij ook af en toe om zich heen of hij Stakker ergens ziet. Zij zou immers de ekster achternagaan en hij wil graag weten welke richting ze is opgegaan. Hopelijk dezelfde kant op als Sambal.

Plotseling staat de grote hond stil. Zijn snuit is naar beneden gericht, hij snuffelt zeer geconcentreerd op de grond.

Melle komt dichterbij, maar blijft op een paar meter afstand om de hond niet te veel af te leiden. Hij probeert te zien wat Sambal precies aan het besnuffelen is. Is dat niet... een drolletje? Melle loopt in een ruime cirkel om Sambal heen zodat hij er nog beter zicht op heeft. Ja hoor, het is een kleine hondendrol. Hij ligt er waarschijnlijk al een poosje, want hij ziet er een beetje verdroogd uit.

Sambal snuffelt nog steeds, maar Melle ziet aan hem dat zich nu wat ontspant. Melle kucht.

'Sambal?' vraagt hij.

De hond kijkt op, het ene oor rechtop en het andere slap. 'Woef!' blaft hij. 'Het drolletje heeft dezelfde geur als de penning. Het moet van hetzelfde hondje zijn.'

Melle baalt ervan dat hij er niet aan gedacht heeft Hummeltje de naam van het weggelopen hondje te vragen toen hij haar ondervroeg.

Hebben ze beet? Is Fien inderdaad een van de gestolen hondjes? Of zitten ze op een vals spoor?

Melle kijkt achterom; waar blijft Justa?

Hè, hoe kan dat nou? Melle kijkt nog eens goed om zich heen. Justa is nergens meer te bekennen! Automatisch grijpt hij de walkietalkie uit zijn broekzak.

'Justa, hoor je me? Justa, waar ben je?' vraagt hij nerveus.

Geen antwoord.

'Justa, hoor je me? JUSTA!'

Melles stem slaat over. Gespannen houdt hij de walkietalkie bij zijn oor. Waarom zegt ze nou niks?

Krrraaak kraaak, eindelijk komt er wat geluid uit het praatapparaatje, hoewel het bij wat gekraak blijft.

Kraaaak!

'Ja, Melle, ik hoor je! Ik ben bij Stakker, die zag ik tijdens het fietsen op enkele meters bij me vandaan, ze liep aan de rand van de sloot.'

Melle zucht opgelucht als hij Justa's stem weer hoort.

'Heeft Stakker iets gevonden, dan?' vraagt hij. 'Sambal namelijk wel!'

'Goed, ik kom naar je toe. Hopelijk gaat Stakker met me mee! Moet ik nog iets speciaals tegen haar zeggen?'

Melle grinnikt. Hij brengt de walkietalkie weer naar zijn mond.

'Zeg maar gewoon "kom", dat moet voldoende zijn!'

Even later zijn Stakker en Justa er.

'Heb je de ekster kunnen volgen?' vraagt Melle nieuwsgierig aan de hijgende Stakker.

Ze schudt even met haar lijf. 'Woef! Ik ben haar op het laatst kwijtgeraakt, toen ik Justa tegenkwam was ik even afgeleid en daarna kon ik haar niet meer vinden. Maar ze heeft me hiernaartoe geleid, ze kan niet ver zijn!'

Sambal verspilt weinig tijd, hij geeft Stakker een paar seconden om aan het oude drolletje te ruiken en gaat er dan weer vandoor. Ook Melle en Justa hebben geen woorden meer nodig, ze houden de honden nauwlettend in de gaten. Gelukkig blijven de dieren vlak langs het smalle weggetje lopen, dat is makkelijk achterna te fietsen. Na eerst een eindje zigzaggen met de neus op de grond gericht, rennen de honden steeds zekerder van hun zaak hard door. Hun snuit staat recht in de wind.

Wat een mooi gezicht eigenlijk, denkt Melle. Ik zou er een foto van moeten maken!

Zouden ze er bijna zijn? Vijf minuten, tien minuten? Melle heeft geen besef meer van tijd. Hij heeft geen flauw idee hoe laat het is of hoeveel tijd er is verstreken sinds ze bij de eerste bunker aankwamen. Is het acht uur? Negen uur? De honden komen bij een kruising en gaan, zonder dralen, rechtsaf. Zodra Melle ook het rechterweggetje inslaat ziet hij verderop een bekend uitzicht: het is de tweede bunker. Een stuk naar links aan de horizon ziet hij in de verte een kerktoren en enkele flatgebouwen. Zijn hart klopt in zijn keel. Het uitzicht is precies zoals Hummeltje heeft beschreven. Dat kan geen toeval zijn, nu moeten ze er bijna zijn!

Justa komt naast hem fietsen en kijkt hem veelbetekenend aan. Ook zij heeft het opgemerkt.

Ze minderen vaart, de honden gaan langzamer lopen en kijken onrustig om zich heen.

Dan ziet Melle enkele tientallen meters verderop wat wits

door de groene bosjes en het bruine onkruid heen schijnen. Het is een huis. Hij remt meteen; de remmen maken een zoemend geluid en de honden horen het, ze draaien zich om. 'Sssst,' zegt Melle en hij gebaart Justa en de honden om stil te zijn. Hij wijst naar het witte huis even verderop. 'Zien jullie die witte vlek achter de struiken? Het is het enige huis langs deze weg, met uitzicht op de bunker. Het moet het huis van de hondendief zijn!'

Melle en Justa stellen de fietsen verdekt op tussen de struiken, aan de rand van de sloot. De fietskar valt nogal op, dus om die ook te bedekken zoeken ze losse takken en verzamelen ze wat afgebroken grote rietstengels en graspollen. Gelukkig ligt er genoeg op de grond, het lukt ze goed om ook de kar bijna onzichtbaar te maken.

Zonder veel geluid te maken gaan ze op het huis af. Op een kleine afstand beginnen ze eromheen te lopen en spieden door het struikgewas of ze iets of iemand zien.

Melle ziet wat tennisballetjes liggen, her en der verspreid in de tuin. Hondenspeeltjes? Verder ziet hij een opgerolde tuinslang en twee plastic tuinstoelen. De gordijnen voor de twee ramen zijn dicht, hij kan niet naar binnen kijken.

'Grrrrr.' Sambal gromt.

Melle kijkt opzij, hij ziet hoe Sambal geconcentreerd naar de zijkant van het huis staart. Hij volgt zijn blik. Aan de zijkant van het huis is een soort aanbouw gemaakt met een plat dak. Een bijkeuken? Een schuur? Het kleine raampje naast de deur staat op een kier. Er hangt geen gordijn voor, maar om iets te kunnen zien, moeten ze eerst dichterbij komen.

'Grrrrr,' gromt Sambal opnieuw.

'Grrrrmmm.' Nu doet ook Stakker mee, de vacht midden op haar rug staat overeind, ze is gespannen.

Melle zoekt oogcontact met Justa, die op haar hurken vlak naast hem zit. Ze knikt en kijkt ook naar het openstaande raampje.

Zachtjes tikt Melle Stakker op haar rug. 'Zitten ze daar? Hoor je iets? Ruik je iets?' Nog voordat Stakker hem antwoordt hoort Melle het zelf al.

Wiewiewiew! Gepiep, gejammer. Het geluid dat kleine pups maken als ze honger hebben. Het komt duidelijk uit het zijgedeelte van het huis, geen twijfel mogelijk.

De bevrijding?

'Durf je dat?' vraagt Melle ongelovig. Hij vindt het nogal wat, het plannetje dat Justa hem zojuist heeft verteld. Vooral haar eigen rol vindt hij behoorlijk gewaagd. Maar Justa denkt daar anders over.

'We moeten er zeker van zijn dat het echt de gestolen hondjes zijn', zegt ze. 'We moeten ze eerst hebben gezien, voordat we de politie waarschuwen. Maar we kunnen niet zomaar de tuin in lopen, stel dat de mensen ons zien en naar buiten komen? Dus moeten we ze afleiden.'

Melle knikt, dat snapt hij allemaal ook wel. 'Maar vind je het dan niet eng om alleen aan te bellen?'

Justa kijkt hem vragend aan. 'Waarom zou ik? Jij hebt toch ook weleens bij een wildvreemde aangebeld? Heb je nooit Kinderpostzegels verkocht, of gecollecteerd voor een goed doel?'

O ja, dat is waar ook, Kinderpostzegels. Melle had daar niet eens aan gedacht, hij zat vooral te denken aan vroeger, toen hij weleens met zijn vriendjes aanbelde bij mensen en zich dan snel uit de voeten maakte om zich achter een bosje te verstoppen. Soms kon hij dan nog zien hoe de mensen reageerden als ze de deur opendeden. Dat vond hij echt superspannend! Hij was ermee opgehouden toen hij een keer had gezien hoe een heel oud omaatje de deur had opengedaan en zeer verbaasd en bijna verdrietig om zich heen had gekeken, omdat er niemand stond. Toen voelde hij zich behoorlijk schuldig.

'Bovendien gaat Sambal met mij mee,' vervolgt Justa, 'dus ik hoef nergens bang voor te zijn. Maar Stakker en jij moeten wel heel snel de tuin in en uit, hè? Ik weet niet hoe lang ik ze aan de praat kan houden!' Ze kijkt hem doordringend aan.

Melle knikt. 'Dat lukt ons wel, toch, Stakker?'

'Waf!' blaft de hond.

Er zit inderdaad niks anders op, ze moeten het zo doen. Nu ze zo dichtbij zijn en de hondjes zelfs kunnen hóren, raken ze ongeduldig. En eigenlijk wil Melle helemaal niet meer op de politie wachten. Als het echt de gestolen sjiewawa's zijn die hij hoort in dat schuurtje, kunnen ze hen toch niet achterlaten? Hij wil de hondjes nú redden!

'Grrrrr,' gromt Sambal, 'dus ik blijf dicht bij Justa, en doe alsof ik niet lekker ben?'

Melle knikt. 'Precies. Justa zegt dat jullie heel erge dorst hebben. Dus als ze jullie water geven, drink dan langzaam, om tijd te winnen.'

Sambal draait zich om en kijkt afwachtend naar Justa; hij heeft het plan begrepen en wil op actie overgaan.

Justa legt even haar hand op Melles schouder en geeft hem een zacht kneepje. Ze fluistert: 'Succes!' en weg is ze, met Sambal in haar kielzog. Even later hoort hij hen ritselend door de struiken in de richting van het pad gaan.

Hij kijkt opzij. Stakker is al een paar meter opgeschoven, dichter naar de rand van de tuin toe. Hij loopt ook die kant op en houdt nauwlettend de geluiden in de gaten. Hij hoopt dat hij het klingelen van de deurbel hiervandaan kan horen, want op dat moment moeten Stakker en hij de tuin in gaan. De seconden tikken voorbij, ze zijn muisstil.

Riiiiing!

Het gerinkel is zachtjes maar duidelijk hoorbaar: Justa heeft aangebeld. Even later hoort hij haar stem. 'Goedemorgen, mag ik u iets vragen?'

Melle telt tot vijf en tikt dan Stakker aan. Dat is het startsein.

Ze gaat hem voor de bosjes uit. Zodra ze in het grasveld staat van de tuin draaft ze snel en sierlijk naar de schuur toe waar de piepgeluidjes vandaan kwamen.

Melle is niet zo snel als zijn vriendin, hij neemt grote stappen, maar het is net alsof zijn benen van lood zijn, de paar meters die hij moet overbruggen lijken wel een kilometer! Hij is best zenuwachtig.

Stakker lijkt het niet te merken, zodra Melle naast haar bij de deur staat duwt ze haar snuit tegen zijn arm. 'Maak de deur eens open! Ik kan ze hiervandaan ruiken!'

Melle kijkt eerst door het raampje, maar omdat er geen licht brandt, ziet hij maar weinig. Hij pakt de deurhendel en duwt hem naar beneden. Zou hij open zijn? Hij trekt.

Nee, er gebeurt niets.

Dan duwt hij de hendel van zich af, de schuur in.

Ja! De deur komt in beweging, hij is niet op slot!

Als hij de schuur in kijkt is het eerste wat hij ziet een kleine, bruine chihuahua die verschrikt naar hem opkijkt. Achter haar staat een mandje met vier kleine pups, die zo te zien liggen te slapen.

'Waf! Wef! Wefwefwef!'

'Woef! Woef!'

'Wefwefwefwef!'

'Woef woef, WOEF!'

Het geblaf gaat te snel voor Melle om te kunnen verstaan wat de honden tegen elkaar zeggen, alleen de laatste blaf van Stakker is zo zwaar en doordringend dat hij wel ongeveer begrijpt wat ze tegen het druk keffende hondje heeft gezegd. 'Hou je stil, we komen jullie hier weghalen en met je geblaf kun je ons allemaal verraden!'

De waarschuwing werkt, het hondje is meteen stil, maar kijkt nog steeds verschrikt. Melle gaat op zijn hurken zitten en maakt zich klein. 'Je hoeft niet bang te zijn. Wij komen je helpen.'

'Grrrrrr,' gromt het hondje angstig, 'wie zijn jullie? Hoe komen jullie hier?'

'Grrrrr,' gromt Stakker terug, 'dat is een lang verhaal. Maar je krijgt de groetjes van Hummeltje, zij heeft ons alles verteld! Jij bent toch ook bij je echte baasje weggehaald?'

Bij het horen van Hummeltjes naam verandert de houding van het hondje. Ze houdt op met grommen en trillen, haar staartje begint voorzichtig te kwispelen en de angstige blik maakt plaats voor ogen vol hoop. 'Hummeltje? Wef! Leeft ze dan nog? Waar is ze?'

'Sssst,' waarschuwt Melle. Hij meent iets te horen vanuit het huis, gestommel, stemmen. Hij legt zijn vinger tegen zijn lippen. Dan herkent hij de stem van Justa. Ze is binnengelaten! De truc heeft gewerkt!

'We moeten nu echt opschieten, er is geen tijd meer om alles uit te leggen. Wil je met ons mee?' vraagt hij aan de chihuahua.

Ze hijgt nerveus. 'Alleen als jullie iedereen meenemen,' piept ze, 'we willen allemaal terug naar ons baasje.'

'Iedereen?' vraagt Melle. 'Je pups, bedoel je? Natuurlijk nemen we die ook mee!' Hij loopt al op het mandje af. Dan slaakt Stakker een verschrikte blaf. 'Waf!'

Melle kijkt verbaasd op. Stakker weet toch dat ze stil moet zijn? Zo verraadt ze hen straks nog! Dan ziet hij waar Stakker naar kijkt. In het donker, in de uiterste hoek van de schuur staat een metalen kooi.

Er zitten drie chihuahua's in.

'Snel! Sneller!' zegt Stakker hijgend. Melle duwt en trekt, maar hij krijgt het deurtje van de kooi maar niet open. Wat een rotding! Achter de tralies kijken drie paar ogen hem hoopvol aan. De hondjes zijn alle drie heel verschillend, de een is zwart en heeft lang haar en de twee andere zijn wit en grijs met kort haar. Ze hebben nog geen geluid gemaakt, gelukkig.

Melle heeft het niet meer; waarom gaat dat rotding niet open? De deurhendeltjes van de kooi zitten strak en met zijn bezwete handen krijgt hij het niet voor elkaar, zijn vingers glijden er steeds weer vanaf.

Melle wordt ongeduldig. Rustig worden! zegt een stemmetje in zijn hoofd. Hij dwingt zichzelf om zijn handen bij de kooi weg te halen. Met stevige bewegingen veegt hij ze af aan zijn broek en zijn shirt, totdat het meeste zweet ervanaf is. Hij zucht diep en pakt het bovenste hendeltje van de kooi goed vast. Met een ferme ruk trekt hij eraan. *Klik!*

Open.

Zijn hart maakt een sprongetje en zijn handen gaan direct door naar het onderste hendeltje. Weer geeft hij een ferme ruk. *Klik!*

Het deurtje springt open. Stakker steekt haar snuit erdoorheen en geeft het voorste hondje een lik. 'Kunnen jullie rennen?' vraagt ze.

De twee kortharige hondjes piepen instemmend en beginnen te kwispelen. Een voor een trippelen ze de kooi uit en ze gaan naast de bruine chihuahua staan. Het zwarte langharige hondje schuifelt naar het hoekje van de kooi. 'Ik durf niet!' piept ze.

'Dan draag ik je wel!' antwoordt Stakker. 'Kom maar!'

Het hondje komt voorzichtig dichterbij en zodra Stakker erbij kan, tilt ze haar aan haar nekvel op met haar bek. Het hondje protesteert niet, ze geeft zich direct over.

Even schrikt Melle want het is net alsof Stakker het kleine hondje wil bijten! Maar als hij beter kijkt, ziet hij dat ze haar juist heel voorzichtig vastheeft.

Hij draait zich om, bukt zich en pakt het mandje met de vier pups voorzichtig op. Sommige kijken even op, maar ze houden zich verder rustig. De doek die half uit de mand hangt, legt Melle als dekentje over de pups heen. Zo kunnen ze er minder snel uit vallen.

De bruine chihuahua en de twee kortharige hondjes staan al bij de deur. 'Jullie móéten ons goed volgen,' zegt Melle streng. 'Wij kunnen jullie hier veilig weghalen. Als je wegloopt, heb je geen schijn van kans en zul je misschien verdwalen. We zitten ver bij de stad vandaan. Hebben jullie dat begrepen?' De hondjes kwispelen.

Stakker neemt de leiding. Met het hondje in haar bek loopt ze de deur uit, draaft naar de bosjes en duikt zo snel mogelijk het struikgewas in. De drie chihuahua's rennen haar achterna, zo klein als ze zijn kunnen ze nog behoorlijk lopen! Melle is de hekkensluiter, hij gaat niet zo snel deze keer, anders vallen de pups misschien uit het mandje. Wanneer hij bijna de tuin uit is, ziet hij in zijn ooghoeken iets bewegen. Het gordijn! Hij hoort een vrouw gillen en een man vloeken.

O nee, ze hebben hem gezien! Zijn hart gaat als een razende tekeer, hij is nu bij bosjes gekomen en rent er recht in, zonder goed op te letten waar hij loopt. Zijn armen houdt hij beschermend om de mand heen. De takken striemen in zijn gezicht en tegen zijn armen en benen, maar het kan hem niks schelen. Achter hem hoort hij een man opgewonden schreeuwen. 'Blijf staan! Kom terug!' Hij hoort iemand rennen en geritsel in de struiken. Komen ze hem achterna?

Voor zich in het struikgewas ziet hij hoe Stakker en de drie hondjes door de bosjes slalommen en hij kan maar één ding denken: de honden achterna, weg hier!

'Hier blijven jij!'

Melle wordt ruw bij zijn arm beetgepakt.

'Huuu!' Hij kan een gil niet onderdrukken.

Zijn achtervolger heeft hem ingehaald. Een grote, sterke hand trekt hem aan zijn arm. Melle probeert zich los te worstelen uit de greep van de achtervolger maar hij wil de mand met pups niet laten vallen. 'Laat me los! Laat me los!' roept hij. Maar de man is een stuk groter en sterker, Melle wordt steeds steviger vastgehouden, hij maakt geen schijn van kans! Wat moet hij doen?

'Wat ben jij met onze hondjes van plan?'

Melle krimpt ineen als hij de man hoort spreken. Wat een nare stem! Hij blijft worstelen, maar kan zich niet losrukken; de hand van de man houdt zijn arm stevig vast.

'Ik zou als ik jou was die puppy's maar snel aan mij teruggeven, anders lever ik je uit aan de politie, jij kleine hondendief!'

De man zegt het dreigend, maar gek genoeg raakt Melle zijn angst juist kwijt. Ik een hondendief? Wat denkt die vent wel? denkt hij. Melles angst maakt plaats voor boosheid.

'Ik ben niet degene die honden steelt, dat bent u!' Melle houdt de mand nog steeds stevig vast, maar hij ziet dat de doek er half is afgeschoven en twee van de pups komen tevoorschijn. De hondendief ziet het ook, hij steekt een van zijn handen uit naar de hondjes.

'Jij moet je grote mond eens houden en mij de pups teruggeven!'

Wanhopig trapt Melle om zich heen, hij probeert de benen van de man te raken om hem zo uit zijn evenwicht te brengen.

'Geef het maar op, ik ben toch sterker dan jij! Denk je nu echt dat je van mij kunt winnen, klein ettertje?' De man houdt hem nog steviger vast, en duwt hem voor zich uit, naar het huis toe.

Melle kan er weinig tegen beginnen, omdat hij de pups niet wil loslaten. Hij stribbelt tegen en blijft trappende bewegingen maken naar de man, maar het helpt allemaal niks. De man voert hem mee, naar het witte huis. Melle durft niet om hulp te roepen, want misschien komen Stakker en de chihuahua's dan wel teruggerend. Dat mag niet gebeuren, denkt hij. Vier hondjes zijn tenminste al bevrijd, dat moet zo blijven. Maar ík ben wel gepakt door de hondendief! Wat nu?

Opgesloten in de schuur

'Ga jij hier eerst maar eens even afkoelen!' De man duwt Melle het schuurtje binnen waar hij kortgeleden nog de hondjes heeft bevrijd. Melle struikelt bijna over de drempel, de pups schudden heen en weer in het mandje. 'Weeeh!' gilt er eentje.

Beng!

De man gooit de deur achter Melle dicht en draait hem op slot. Hij loopt weg, Melle hoort de deur van het huis open- en dichtgaan. De man is het huis binnen gelopen.

Stilte.

'Pfffff!' Een zucht van spanning ontsnapt aan Melles lippen. Hij trekt de deken van het mandje af, alle vier de pups liggen er nog in. Aan hun ogen kan hij zien dat ze geschrokken zijn. Op de een of andere manier weet hij dat ze nog te jong zijn om met hem te kunnen praten. Voorzichtig zet hij het mandje op de grond, en hij gaat er zelf naast zitten. Zijn handen trillen.

Melle zit in kleermakerszit terwijl hij de pups een voor een aait. Zo worden ze misschien wat rustiger en hij zelf ook. Hij probeert na te denken, want hij moet hier snel weg zien te komen. Maar hoe?

Plots krijgt hij een idee: de walkietalkie!

Hij pakt het ding uit zijn broekzak. Met zijn wijsvinger drukt hij het knopje in waarmee de walkietalkie aangaat. Het kleine groene lampje gaat branden. Vervolgens controleert hij het volume en zet het zo zacht mogelijk; hij wil zich niet verraden.

Hij drukt het knopje in waarmee hij kan praten en houdt de walkietalkie vlak voor zijn mond.

'Justa, hoor je mij? Justa?' zegt hij zacht.

Hij hoort alleen gekraak.

Melle probeert het opnieuw. 'Justa, hoor je mij?'

'Melle! Ja, ik hoor je! Waar ben je?'

Wat een opluchting! Doordat hij Justa's stem hoort krijgt Melle direct weer hoop. Hij is niet alleen.

'Ik zit opgesloten in het hondenschuurtje. De hondendief heeft me gepakt, en teruggebracht. De pups zijn hier bij me. Zijn de andere honden bij jou?'

'Ja, ze zijn allemaal hier. Stakker heeft ze naar de fietsen gebracht, we dachten dat jij ook onderweg was, maar het duurde zo lang!'

'Ik zit opgesloten. Kunnen jullie...' Melle hoort de deur van het huis open- en dichtgaan: Melle is meteen op zijn hoede en drukt de walkietalkie uit. Hij hoort voetstappen naderen, ze klinken alleen niet als die van zware mannenschoenen, maar eerder als hoge hakken. Het volgende moment verschijnt er een hoofd voor het raam. Doordat het in de schuur zo donker is, kan Melle het gezicht niet goed onderscheiden, maar hij ziet wel meteen dat het een vrouw is. Ze heeft rode lippenstift op en halflang blond haar. Ze tuurt een poosje naar binnen. Melle houdt zich stil. Dan hoort hij andere voetstappen en ziet nog een gezicht voor het raam.

'Waarom wil je hem per se zien?' vraagt de man, een beetje bozig.

'Dat kun je toch niet maken, Peter, het is nog maar een jochie!' zegt de vrouw.

'Kan me niet schelen, hij heeft de honden van ons gestolen, daarvoor kan ik de politie bellen!'

'Maar, Peter,' zegt de vrouw vermoeid, 'je weet toch dat dat niet kan? Hoe moeten we dat uitleggen? Dan zijn we toch zelf ook het haasje!'

Melle ziet hoe de man zijn hand op de schouder van de vrouw legt.

'Kom nou maar mee naar binnen, die jongen hoeft dit allemaal niet te horen.'

'Ik ben het er niet mee eens.' De vrouw is nu ook boos. 'Dit gaat me echt te ver, Peter. We hadden er allang mee moeten stoppen. En nu ook dit nog! Dat is toch nooit de bedoeling geweest?'

De man kucht. 'Het is nu te laat. Kom mee naar binnen, dan praten we daar verder.'

Ze verwijderen zich van het raam. Melle hoort hoe ze het huis binnengaan. Hij wacht geen seconde, zet de walkietalkie weer aan en roept Justa op.

'Justa! Hoor je me?'

'Melle! Gaat het goed met je? Je viel opeens weg!' Ze is een beetje paniekerig.

'Het gaat goed. Maar ik moet hier snel weg zien te komen.'

'Stakker is al onderweg, ze kan niet ver zijn!' Justa roept het bijna door de walkietalkie heen. 'Ze liep meteen terug toen ze jouw stem hoorde, ik kon haar niet tegenhouden.'

Melle lacht zachtjes in zichzelf, ondanks de spanning. Zijn trouwe vriendin, natuurlijk komt ze hem halen!

Hij brengt de walkietalkie dicht bij zijn mond. 'Blijf jij waar je bent, met Sambal en de andere hondjes.' Melle praat duidelijk en langzaam. 'Zorg dat de fietsen klaarstaan. Stakker en ik komen direct naar jullie toe zodra ik hieruit ben. Met de pups!'

Klik. De walkietalkie heeft hij uitgezet en weer in zijn broekzak gedaan. Melle is rustig, hij aait de pups. Stakker is naar hem op weg!

Slimme, handige Stakker!

Krrrggh, krrrr! Het gekrabbel van Stakkers poten tegen de deur is te horen in het schuurtje. Melle kruipt naar de deur toe en legt zijn oor ertegenaan. 'Stakker! Jij bent het, toch?' vraagt hij.

'Wieuw,' zegt ze zachtjes, 'natuurlijk ben ik het. Ben je gewond?'

Melle schudt zijn hoofd, maar realiseert zich dat Stakker dat door de deur heen niet kan zien.

'Maak je geen zorgen, niks aan de hand. Kijk uit dat de mensen je niet zien, ze zijn in het huis!'

'Wieuw! Weet ik, maar ik lig plat op de grond, ze kunnen me niet zien vanuit het raam.'

Melle is gerustgesteld. Stakker weet wat ze doet.

'Kun je de deur openmaken, Stakker?' vraagt Melle.

Het is even stil aan de andere kant van de deur.

'Woew,' piept ze, 'het is zo'n hendel met een sleutel erin. Ik weet wel hoe ik een hendel naar beneden krijg, maar een sleutel heb ik nog nooit omgedraaid.' Ze lijkt een beetje onzeker.

Melle gaat op zijn knieën zitten. 'Je kunt het proberen met je poten of met je bek. De sleutel moet naar links worden gedraaid, je voelt waarschijnlijk een soort klik. Als je die klik hebt gevoeld, is het slot open.'

Weer is het stil aan de andere kant.

'Links? Wat is dat?' piept Stakker, nog onzekerder.

Melle slikt. Wat dom van hem. Hoe kan Stakker ook weten wat 'links' en 'rechts' is? Dat is echt mensentaal.

'Ik bedoel dat je de sleutel moet draaien naar de kant van waar je vandaan komt. Dus niet naar de kant van het huis!' Hij hoopt dat hij het nu goed heeft uitgelegd.

Stakker geeft geen antwoord meer, want ze gaat over tot actie. Melle hoort haar tegen de deur aanspringen. Vervolgens hoort hij gekrab bij de hendel. Hij ziet dat de hendel een beetje heen en weer beweegt. Hij gaat staan en houdt gespannen alle bewegingen in de gaten.

Krrrrg, krrrrg, er klinken nog meer geluiden. Stakker probeert de sleutel om te draaien, maar het wil nog niet echt lukken.

Krrrrrrr...! Klak! Melle hoort een klikgeluid. Is dat...?

Hij ziet de hendel langzaam naar beneden gaan, maar halverwege blijft hij steken.

'Help eens mee, Melle!' piept Stakker.

Melle schiet naar de deur toe, grijpt de hendel en drukt hem naar beneden. Het lukt!

De deur gaat naar binnen open. Stakker staat op de drempel, bek open, tong naar buiten. Ze glipt snel naar binnen.

Slimme, handige Stakker! Wat is Melle blij om zijn vriendin te zien, het liefst zou hij haar om de hals vliegen en knuffelen! Stakker staat echter al bij het mandje met de pups en kijkt hem vragend aan.

'Kun je de mand nog een keer dragen?' vraagt ze hem.

Melle knikt, bukt zich en pakt de mand meteen op. Gelukkig houden de pups zich nog steeds rustig, ze slapen. De deken doet hij er weer overheen.

'Kom, we gaan!' Hij loopt naar de deur toe en zet hem op een kiertje open.

Stakker staat naast hem, duwt haar snuit in de opening en spitst haar oren.

'Hoor je iets in het huis?' vraagt Melle.

'Grrrr,' gromt Stakker, 'nee, volgens mij is de kust veilig.'

Geluidloos loopt ze naar buiten, Melle komt achter haar aan. Hij kijkt om naar het huis, maar de gordijnen zijn nog steeds dicht. Lopen!

Daar gaan ze weer, voor de tweede keer. Door de tuin naar de struiken en dan door de struiken heen; Stakker snel en behendig, Melle langzaam en strompelend.

'Wieeew! Weeeh!' De pupjes beginnen te piepen. Melle wil wel vooruit komen, maar het valt hem een stuk zwaarder dan de eerste keer. Hij heeft honger en dorst, en hij is moe van alle spanning. Het gejammer van de pups maakt het er niet makkelijker op.

'Kom op, Melle, rennen!' Stakker blaft hem toe, ze merkt dat hij een stuk trager gaat dan zij en houdt haar pas in.

'Ga jij maar verder en waarschuw Justa en Sambal! Ik kom wel achter je aan!' zegt Melle. Stakker doet wat hij zegt en al snel ziet Melle haar niet meer. Hij gaat langzamer lopen en probeert de mand met de pups wat rechter in zijn armen te leggen. Hopelijk houden ze dan op met huilen.

'Zeg, Harry Potter, heb jij op school toverles gehad of zo?'

De stem bezorgt Melle kippenvel. Hij hoeft niet eens meer om te kijken, want hij weet al wie er achter hem staat.

Het is de hondendief.

Bijt!

'Ik weet niet hoe jij de deur hebt opengekregen, maar eigenlijk kan me dat ook niks schelen.' De hondendief klinkt alsof hij zijn woede inhoudt. 'Wat me wel kan schelen, zijn de hondjes. Ga je ze nog aan me teruggeven, of wil je soms weer opgesloten worden? Door de politie, bijvoorbeeld?' De man grijpt Melle ruw vast bij zijn schouders en zijn nek.

'Au!' Het is te laat om te vluchten, de man heeft hem stevig vast, zo stevig dat het hem pijn doet. Melle kan zichzelf wel voor zijn hoofd slaan. Waarom liep hij ook zo langzaam? Straks is de hele reddingsoperatie van Stakker voor niks geweest! Moet hij dan toch de pups aan de man teruggeven?

Dan, terwijl Melle twijfelt aan wat hij moet doen en bijna wanhopig wordt, is er plots een hoop geritsel in de bosjes. Een donkere vlek schiet uit de struiken tevoorschijn. Het gebeurt zo snel! Voordat hij heeft kunnen zien wie of wat het is, klinkt er al een vervaarlijk gegrom.

'GRRRRR! GRRRR! Ik zou Melle maar snel loslaten als ik jou was, vriend! Want anders krijg je met mij te maken! GRRRRRRRR!'

Sambal ziet er ongelooflijk dreigend uit, zoals hij daar staat te grommen naar de hondendief; met opgetrokken lip en ontblote tanden. Zijn hele lijf straalt uit alsof hij elk moment tot de aanval kan overgaan. Melle weet niet wat hij ziet; van de goeie ouwe lobbes Sambal is niks meer over. Hij is nu echt een hele gevaarlijke politiehond!

De actie van Sambal heeft effect. Heel even verslapt de man zijn greep om Melles schouders. Melle maakt er direct gebruik van en rukt zich los. De man is erdoor verrast en probeert hem opnieuw te grijpen. 'Kom hier jij!' roept hij hard. Dan zien ze beiden hoe, door de plotselinge beweging van Melle, een van de pups uit de mand valt. Hij valt eerst op Melles been en vervolgens komt hij neer op de grond. Het kleine hondje begint van schrik te schreeuwen. 'Weeeeh! Weeeeh!'

Melle reageert meteen en bukt zich om het pupje op te pakken, maar net als hij het kleine hondje heeft opgetild, trekt de man hard aan zijn armen, en dan...

'AU! AU! Verdomme, rothond!'

Sambal is de man aangevlogen en heeft hem met zijn tanden vast bij zijn broekspijp. De man laat Melle direct los en probeert Sambal van zich af te slaan.

'Au, au! Rotbeest! Laat me los!'

'GRRR! GRRRRR!'

Melle zet snel het schreeuwende pupje in de mand, die hij weer stevig tegen zijn borst klemt. Hij ziet nog net hoe de hondendief met een van pijn vertrokken gezicht naar zijn been grijpt en Sambal een stomp tegen zijn kop wil geven. De grote ex-politiehond heeft een stuk van de broek van de man in zijn bek en staat op kleine afstand opnieuw naar hem te grommen.

Dan blaft de hond naar Melle. 'Woef! Schiet op jij! Rennen, naar de fietsen! Justa wacht al op je!'

Is dit soms wat ze bedoelen met adrenaline?

Melle rent zo hard als hij kan naar de fietsen, zoals Sambal hem heeft opgedragen. Hij kan amper nog normaal denken en zijn lijf voelt aan alsof hij net uit de achtbaan komt. Het beeld van de grommende en bijtende Sambal verschijnt telkens opnieuw in zijn hoofd. Sambal heeft hem gered, zonder hem was hij zeker door de hondendief gegrepen, en de sjiewawa-pups ook.

'Melle! Hier!' Zodra Melle uit de bosjes komt rennen, zien Justa en Stakker hem al, ze staan op enkele tientallen meters bij hem vandaan. Justa roept en wenkt hem. Stakker en zij staan naast de fietskar.

Waar zijn de drie sjiewawa's gebleven? vraagt Melle zich af.

Stakker leest zijn gedachten.

'Waf! Alles oké, Melle! De hondjes zitten al in de fietskar, er is ook nog ruimte voor de pups!'

Melle komt hijgend bij ze aan, Justa bukt en ritst het doek van de fietskar open. De drie kleine hondjes zitten dicht tegen elkaar in de hoek van de kar, zij hijgen ook. Het moederhondje keft hem toe.

'Wef! Waar zijn mijn kleintjes?'

Melle steekt de mand naar voren en haalt de doek er helemaal af. Hè? Van schrik houdt hij zijn adem in. Hoe kan dat nou? Het zijn er maar twee!

Stakker begint opgewonden te blaffen. 'Waf! Waf waf! Melle, wat is er onderweg gebeurd? Waar zijn de twee andere pups? En waar is Sambal?'

Melle kijkt achterom, in de hoop de pups te zien. Maar nee.

'De hondendief heeft me weer ingehaald,' antwoordt hij. 'Ik had hem bijna de pups gegeven! En ineens was Sambal er, hij heeft de man aangevallen... De pups zaten al die tijd in de mand. Ze moeten eruit zijn gevallen toen ik hierheen rende!'

Stakker bedenkt zich geen moment. Ze rent dezelfde weg terug als Melle is gekomen. Haar neus is op de grond gericht, haar blik naar voren. Ze gaat zeker twee keer zo snel als Melle daarnet. Ze duikt de bosjes in.

Justa stoot Melle aan. 'Is ze de pups gaan zoeken?'

Melle knikt, nog nahijgend. 'Ik denk het wel.'

'Goed zo, dan kunnen deze al in de fietskar, kom op!' Justa pakt een van de pups uit de mand en zet hem bij de drie hondjes in de fietskar. Het pupje kruipt direct naar zijn moeder toe, die hem liefdevol besnuffelt en likt. Melle pakt de tweede pup, het is degene die tijdens de worsteling uit de mand was gevallen, ziet hij. Hij herkent hem aan de grijze vlek rondom zijn oog. Ook deze pup krijgt van zijn moeder dezelfde verwelkoming als de eerste pup.

'Wat lief, hè?' fluistert Justa.

Melle knikt. Hij hoopt maar dat Stakker de andere twee pups vindt.

Tijd om daar verder bij stil te staan heeft hij niet, want opnieuw is er geritsel in de struiken. Even later komt Stakker met een pup in haar bek de bosjes uit draven. Eentje maar? Nee! Sambal komt achter Stakker aan en ook hij draagt een klein hondje in zijn bek. Wat een geweldig gezicht!

Melle maakt snel plaats voor de opening van de fietskar en de grote honden laten een voor een de pups in de kar achter. De kleine diertjes zitten onder het spuug, maar zo te zien zijn ze ongedeerd.

Justa ritst de fietskar weer dicht en geeft de fiets aan Melle. 'Fietsen jij! Jij hebt sterkere benen dan ik!' Ze loopt snel naar haar eigen fiets en stapt op.

Melle volgt haar voorbeeld en tegelijkertijd fietsen ze weg, terug in de richting van de stad.

Melle heeft nog steeds adrenaline in zijn lijf, hij voelt niks van moeheid of de blauwe plekken die hij heeft opgelopen. Bovendien is het gewicht in de fietskar een stuk lichter dan op de heenweg. Deze hondjes wegen bijna niks!

Stakker en Sambal rennen naast hen en kijken af en toe achterom.

'Heb je de hondendief verwond? Komt hij ons nog achterna?' vraagt Melle aan Sambal.

'Woef! Maken jullie je daar maar niet druk om,' blaft de grote hond. 'Ik heb hem eerst in zijn been gebeten, daarna nog een keer in zijn arm. Maar beide keren heb ik niet echt doorgebeten, hoor! Hij is wel ongelukkig gevallen toen ik hem voor de tweede keer greep, ik geloof dat hij door zijn enkel ging. Hopelijk kan hij daardoor niet meer lopen!'

Melle slaakt een zucht van opluchting terwijl hij hard doortrapt. Poeh! Wat heftig allemaal. Dit had hij niet verwacht toen hij die morgen opstond!

Justa zet aan en komt naast Melle fietsen.

'Vertel me nou eens wat Sambal allemaal zegt! En wat is er daarstraks precies gebeurd? Hoe hebben ze je te pakken gekregen? Toen ik aanbelde, lieten die mensen me na lang aandringen pas binnen. Het leek wel of ze iets doorhadden, ik kon ze maar heel even afleiden. Ze gaven Sambal wat water en hebben ons al heel snel de deur weer uitgezet. Ze waren helemaal niet aardig, vooral die man niet!'

Een chique lift

Nu ze niet meer bang hoeven te zijn om door de hondendief te worden gegrepen, fietsen ze iets rustiger. Stakker en Sambal zijn ook langzamer gaan rennen, ze blijven achter de fietsen.

Melle vertelt tijdens de fietsrit wat hij allemaal heeft meegemaakt en Justa licht hem in over hoe ze de mensen heeft beetgenomen. Ze had hun wijsgemaakt dat Sambal haar eigen hond was, en dat ze verdwaald waren tijdens een ochtendwandeling. 'We kamperen hier in de buurt, op een boerderijcamping. Het is onze eerste keer hier!' Ze legde uit dat ze was vergeten om water mee te nemen, en vroeg de mensen om wat drinkwater. Met die list was het haar gelukt hen even aan de praat te houden, zodat het veilig was voor Melle om de hondjes te bevrijden. Nou ja, veilig... Justa fronst met haar wenkbrauwen als ze er weer aan terug denkt.

'Wat eng dat ze je hebben opgesloten, Melle. Ik zou echt heel erg bang zijn geweest als ik jou was. Ik voelde al meteen dat er iets niet pluis was. Ze wilden me heel snel weg hebben uit hun huis, dat was aan alles te merken! Ik mocht niet eens mee te keuken in, ze lieten me in de gang staan wachten.'

Melle knikt. 'Misschien hadden ze al direct door dat er iets aan de hand was. Ze kwamen Stakker en mij daarna ook zo snel achterna!'

Justa lacht uitgelaten. 'Maar we zijn ze te slim af geweest! Ha! Ongelooflijk dat het ons is gelukt, Melle! Zelfs de kleine pups heb je bevrijd! Weet je trouwens zeker dat er niet nog meer honden waren?'

Melle schudt zijn hoofd. 'Niet in die schuur in elk geval, alle hondjes zijn meegekomen. Hoezo, vind je dit niet genoeg? Vier volwassen sjiewawa's en vier kleintjes!' Melle begint zich steeds meer te ontspannen en hij lacht blij. Justa heeft gelijk: het is gelukt!

Inmiddels zijn ze alweer terug bij de rand van de stad. Ze stappen af voor het verkeerslicht om de grote rondweg over te steken. Sambal en Stakker staan hijgend naast hen.

'Waar gaan we nu eigenlijk heen?' vraagt Melle zich hardop af. 'Naar huis, of naar Jantien?'

'Woef!' blaft Sambal zwaar en hij gaat languit op de verkoelende stoep liggen. 'Wat mij betreft naar de plek die het dichtst bij is. Ik kan niet meer... ik heb in lange tijd niet zoveel gerend, ik ben kapot!'

Melle ziet aan Sambal dat hij het meent. De hond ziet er uitgeput uit, het kwijl loopt uit zijn bek. Arme Sambal, hij heeft zich ook zo ontzettend ingespannen! Stakker staat er heel wat frisser bij, maar zij is natuurlijk ook een stuk jonger én een stuk lichter!

Túúút! Túúút!

Een auto toetert. Melle kijkt naar het verkeerslicht; is het soms al groen? Nee, nog steeds rood.

Túút! Túúút!

Waarom wordt er getoeterd?

'Melle, kijk! Het is Daphne van Duuren!' roept Justa.

Melle kijkt de richting op die Justa hem aanwijst. Half in de berm, half op de weg, staat een chique, zwarte auto. De lichten staan op knipperstand. Hij ziet hoe een vrouw in een gebloemde jurk de auto uit komt en druk wuivend de weg over wil steken. Inderdaad, het is Daphne, Justa heeft het goed gezien. De auto's op de weg toeteren naar de overstekende vrouw, het is gevaarlijk wat ze daar doet! Gelukkig springt dan het licht weer op rood; de auto's stoppen en de actrice rent snel de weg over.

Ze pakt Melle en Justa vast bij hun schouders en schudt hen heen en weer. 'Wat ben ik blij jullie te zien! Ik had mijn auto bij de garage opgehaald en werd toen gebeld door je vader, Melle! Weet je wel dat je ouders zich heel erg ongerust maken? En ik! Ik zoek jullie al de hele ochtend, ik ben al zeker tien keer de rondweg op en neer gereden! Waar zaten jullie precies? Wat hebben jullie gedaan?'

Een waterval aan woorden en vragen komt uit haar mond, haar ogen staan een beetje verwilderd en haar make-up is uitgelopen en zit vlekkerig om haar ogen.

'Wieuw wieuw! Weeeh weeeh!'

Uit de fietskar komt gepiep en gejammer. Daphne hoort het ook en kijkt verbaasd. 'Hondjes?' vraagt ze.

Justa pakt haar arm vast. 'We hebben de hondendieven gevonden. Ze hadden nog meer sjiewawa's bij hen thuis, opgesloten in een schuur. We hebben ze allemaal meegenomen!'

Daphne slaat vol ongeloof haar handen voor haar mond en kijkt hen met grote ogen aan. 'Wat erg... maar... wat geweldig!' fluistert ze. 'Hoe is het mogelijk?'

'Weeeeeh! Wiehiehie!' De pups in de fietskar gaan steeds harder huilen en schreeuwen.

Stakker doet een paar passen naar voren. 'Waf! waf!' blaft ze. 'Kunnen we geen lift krijgen in die grote auto?' Ze richt haar kop naar de grote donkere auto van Daphne, die met knipperende lichten aan de overkant van de weg staat.

Wat een goed idee! Melle herhaalt de vraag van Stakker en kijkt de actrice vragend aan.

'Natuurlijk!' antwoordt Daphne meteen. 'In mijn auto is plek voor iedereen, alleen de fietsen kunnen niet mee. Die moeten jullie dan even hier aan een boom of een paal vastbinden, dan halen we die een andere keer wel op.'

'Wij kunnen ook wel fietsen, hoor,' zegt Justa, 'dan hoeven alleen de honden in de auto!'

Daphne kijkt haar hoofdschuddend aan. 'Denk jij nu echt dat ik jullie alleen naar huis laat fietsen? Na wat jullie allemaal hebben meegemaakt? Geen sprake van! Ik blijf bij jullie. Straks komen die hondendieven je nog achterna, je weet het nooit met dat soort mensen!'

Melle houdt nog maar even voor zich dat hij opgesloten heeft gezeten en dat Sambal de hondendief heeft aangevallen. Daphne is zo opgewonden, straks raakt ze nog over haar toeren. Zodra het licht op rood springt lopen ze met fiets en al over het zebrapad naar de geparkeerde auto.

De actrice loopt naast de fietskar en probeert erin te gluren om de hondjes te zien. 'Lijken ze erg op Hummeltje? Zijn het allemaal chihuahua's?'

Met haar afstandbediening ontgrendelt ze de sloten van haar auto en opent het achterportier. 'Zullen we de kleine hondjes op de achterbank doen, samen met jou, Justa? Dan kunnen Stakker en Sambal in de achterbak en Melle kan voorin met een hondje op schoot, als dat nodig is. Ik weet wel dat zoiets eigenlijk verboden is, maar dit is nu eenmaal een noodgeval. Als we door de politie worden aangehouden, zien we wel weer verder.'

Justa giechelt en stoot Melle aan. Die Daphne is best een beetje een apart mens. Maar wel leuk!

Het is een grappig gezicht, drie kleine hondjes op de achterbank samen met Justa en vier kleine pupjes op haar schoot. Sambal en Stakker liggen al ontspannen uit te rusten in de ruime achterbak van de auto, ze zijn er uit zichzelf in gesprongen en Melle hoeft alleen nog maar de klep dicht te doen. Dan neemt hij plaats op de stoel naast Daphne, die al klaarzit en de motor start.

'Zeg, waar gaan we eigenlijk heen?' vraagt ze. 'Naar huis, de politie of naar het dierenasiel?'

Het verdriet van Twiggy

Onderweg naar dierenasiel De Kwispelstaart belt Melle met het mobieltje van de actrice naar huis, want volgens haar zijn z'n ouders erg ongerust. 'Je móét ze bellen, ze hingen vanochtend vroeg al aan de telefoon om te vragen of jullie soms bij mij waren.' Melle ziet op de autoklok dat het al bijna twaalf uur is. Jee, hoe lang zijn ze wel niet weggeweest? Vijf uur? Hij toetst het nummer in van thuis en wacht tot de telefoon overgaat.

'Met Ina de Vriend.'

'Mam, met mij! Ik zit in de auto bij Daphne van Duuren.'

'O, Melle! Eindelijk bel je! Is alles goed met je? En is Justa daar ook, en Stakker en Sambal?'

'Ja, Justa en de honden zijn hier ook. En ook de gestolen honden! Mam, we hebben de hondendief gevonden! En alle gestolen hondjes bevrijd!'

'We waren zó ongerust, Melle! Waarom heb je ons niks gezegd over wat je van plan was? Zo streng zijn we toch niet?'

'Nee, mam, sorry. Ik wilde jullie niet ongerust maken. Maar je hoeft je geen zorgen te maken. Alles is goed gegaan, we gaan nu meteen met alle hondjes naar het dierenasiel. Er zijn ook vier puppy's bij!'

'Nou ja, het belangrijkste is dat jullie ongedeerd zijn. En de hondjes ook. Wat fijn dat dit afschuwelijke gedoe is afgelopen. Willen jullie ook nog naar de politie gaan? ... O, papa vraagt of wij soms iets kunnen doen.'

Ze spreken af dat Ina de ouders van Justa zal bellen om hen te vertellen wat er is gebeurd. Ook zij maken zich vast erg ongerust.

'Komen jullie maar zo snel mogelijk naar huis om alles te vertellen! Opa en oma zijn er ook nog, die blijven nog een nachtje langer logeren.'

Ze zijn allemaal erg benieuwd naar de gestolen hondjes en de puppy's, en ze willen graag weten wat het dierenasiel gaat doen zodra ze Melles en Justa's verhaal horen.

'Als ze die gluiperds niet aangeven bij de politie, halen we ze zelf wel op en breng ik ze persoonlijk naar het bureau!' roept Melles opa op de achtergrond.

De actrice moet hard lachen wanneer Melle dat vertelt.

'Die opa van jou! Nou, Melle, het is wel duidelijk waar jij je eigenzinnige streken vandaan hebt!'

Hè? Lijk ik op mijn opa? denkt Melle. Daphne is de eerste die dat tegen hem zegt. Maar misschien heeft ze wel gelijk.

'Whehef!' keft het moederhondje bezorgd op de achterbank. 'Brengen jullie ons nu terug naar ons baasje?'

Melle draait zijn hoofd om. Behalve de drie chihuahua's kijkt ook Justa hem vragend aan. De puppy's zijn op haar schoot in slaap gevallen.

'We gaan naar het dierenasiel,' legt Melle uit. 'En daar kunnen ze jullie baasjes opsporen. Hebben jullie allemaal een chip in je nekvel?'

'Whaf! Wahaf! Een chip? Je bedoelt zo'n klein dingetje dat ze in je nek prikken met een prikstokje? Ja zeker!' De bruine chihuahua doet opnieuw het woord, de andere twee zitten er stilletjes bij, ze rillen zelfs een beetje. Justa probeert ze op hun gemak te stellen door ze zachtjes te aaien.

'Gaat het wel goed?' vraagt Melle zachtjes.

Het zwarte langharige hondje kijkt op. 'Nee, het gaat helemaal niet goed. Ik mis mijn baasjes. Ik snap niet wat er aan de hand is. Een paar dagen geleden was ik nog gewoon thuis, toen zat ik opeens in een kooi in een schuur. Samen met andere hondjes die ik helemaal niet ken. Toen moest ik van jullie in een fietskar. Wef! En nu zit ik hier! Wat gebeurt er toch allemaal? Waarom kan ik niet gewoon thuis bij mijn baasjes zijn? Mijn bazinnetje is ziek en heeft me nodig, als ik bij haar ben, voelt ze zich een stuk beter. Dat zegt ze altijd tegen me. En nu, nu ben ik weg! Wat zal ze zich slecht voelen!'

Ze rilt nu heel erg. Als honden konden huilen, zouden bij dit hondje de tranen over haar kleine kopje biggelen. Melle merkt hoe intens verward en verdrietig ze is. Hij aait haar over haar rug en in haar kleine nekje.

'Hoe heet je?' vraagt hij.

'Wuf,' blaft ze flauwtjes, 'ik heet Twiggy.'

Melle geeft haar nog een aai.

'Lieve Twiggy, we brengen je snel terug naar je baasjes. We zorgen ervoor dat je gauw je zieke bazinnetje weer kunt troosten. Ik beloof het je, alles komt helemaal goed.'

Door Twiggy zo verdrietig te zien en haar verhaal te horen, slaat Melles humeur in één klap om. Hij wordt steeds bozer!

Die stomme, gemene hondendief! Het kan die vent niks schelen dat de hondjes verdrietig zijn en dat hun baasjes ze ook nog eens vreselijk missen.

'Toen we in Spanje waren, dacht ik dat de mensen die zwerfhonden vergiftigen de slechtste mensen waren die ik ooit had ontmoet,' zegt Melle hardop in de auto, 'maar nu ben ik daar niet meer zo zeker van.'

Daphne schudt haar hoofd en kijkt bedrukt. 'Het maakt eigenlijk niet uit wie van de twee slechter is. Wat mij betreft verdienen alle mensen die dieren misbruiken straf.'

Daphne parkeert de auto voor de deur van De Kwispelstaart.

Nog voordat ze alle honden uit de auto hebben kunnen halen, komt Jantien al naar buiten gelopen om hen te helpen.

'Je vader heeft me al gebeld om me te waarschuwen dat jullie er aankwamen,' legt ze uit aan Melle. Ze geeft Daphne een hand.

'Mevrouw Van Duuren, wat leuk om u te ontmoeten. Nu kan ik u meteen persoonlijk bedanken, want ik zag vanochtend tot mijn verbazing dat u een heel gulle gift hebt overgemaakt op onze bankrekening. Dat hebt u zeer snel gedaan! Ontzettend bedankt!' zegt ze.

Daphne wuift haar bedankje weg. 'Nergens voor nodig. Ik heb het gewoon via internet gedaan, dat gaat heel makkelijk en snel. En Hummeltje is mij meer waard dan wat dan ook. Ik hoop dat jullie nu nog meer hondjes kunnen helpen. Deze, bijvoorbeeld!' Ze heeft Twiggy uit de auto gepakt en legt haar, huppekee, zo in de armen van Jantien.

Jantien schreeuwt het bijna uit van blijdschap: 'Dit is het gestolen hondje waar ik gisteren over ben gebeld! Zwart lang haar, klein en met witte pootjes! Het kan niet missen!'

Adres onbekend

Na het telefoontje van Jantien aan de baasjes van Twiggy duurt het maar tien minuten voordat hun auto met piepende banden voor de deur parkeert. Het weerzien van Twiggy met haar baasjes is heel emotioneel. Het wat oudere echtpaar loopt op het asiel af, de vrouw heeft een wandelstok nodig om goed vooruit te kunnen komen. Zodra ze binnen zijn springt het hondje direct als een gek tegen hen op. Ze blaft, jankt en rent van blijdschap zelfs rondjes door het kantoortje. De man tilt haar blij lachend op en geeft haar aan zijn vrouw, die inmiddels is gaan zitten. Haar ogen zijn vochtig, en ze sluit het hondje in haar armen.

'We laten je nooit meer gaan! We laten je nooit meer bij de supermarkt buiten staan, lieve kleine Twiggy! O, wat hebben we je gemist!'

Het kleine zwarte hondje weet van opwinding niet wat ze moet doen, ze draait en rolt en keert zich maar om en om in de armen van haar baasje. Het duurt lang voordat ze eindelijk een beetje rustig wordt en al die tijd likt ze met haar kleine tongetje het gezicht van haar bazinnetje.

Jantien heeft inmiddels alle bevrijde hondjes in een speciale kennel gedaan met water en voer en zachte kussentjes om op te liggen. 'Hier blijven jullie totdat jullie echte baasjes komen. Maar dat zal niet lang duren! Rust maar even lekker uit.'

Jantien heeft ook al de chipnummers van de chihuahua's opgezocht in de computer en belt nu de baasjes om hun het goede nieuws te vertellen. Ze is druk aan het telefoneren, en Melle en Justa luisteren gespannen naar wat ze allemaal te weten komt.

Het moederhondje, dat Pippa blijkt te heten, is het langst geleden gestolen. Vier maanden geleden is ze als vermist opgegeven. Jantien begrijpt wel waarom de hondendief juist haar zo lang bij zich heeft gehouden.

'Pippa is drachtig geraakt, zij was niet gesteriliseerd zoals Hummeltje. Negen weken duurt de draagtijd van een hond, en dan moeten de pups ongeveer zes weken lang bij de moeder drinken. Nou, dan zit je algauw op vier maanden!'

'Hoe oud zijn de pups nu, denk je?' vraagt Justa.

'Een week of vijf,' antwoordt Jantien. 'We hebben geluk gehad dat jullie niet een of twee weken later de hondendief hebben gevonden,' legt ze verder uit, 'want dan waren de pups misschien al verkocht en weg. Voor de pups is dat niet erg, want die komen waarschijnlijk goed terecht. De mensen die ze kopen zijn vast heel gewone mensen die graag een puppy willen hebben. Ze reageren op een advertentie in de krant of op internet en zijn zich van geen kwaad bewust. De hondendief zal natuurlijk niet tegen de mensen zeggen dat hij het moederhondje heeft gestolen en dat de pups eigenlijk illegaal worden verkocht.'

Melle is verbaasd. 'Kun je dan zomaar via een advertentie hondjes verkopen? Heb je daar niet een speciale vergunning voor nodig?'

Jantien knikt instemmend. 'Natuurlijk zijn er hondenfokkers met een speciale vergunning. Het wordt ook altijd aangeraden om bij zo iemand een hond te kopen. Of bij het asiel, dat is natuurlijk nog beter. Maar het is bij de wet niet verboden om op een andere manier een dier te kopen of te verkopen.

Dus kunnen dit soort slechte dingen best gemakkelijk voorkomen.'

Melle heeft nog een vraag. 'Maar als we de politie hierover vertellen, gaan ze toch wel achter de hondendieven aan? We gaan toch zeker wel aangifte doen bij de politie?'

Jantien haalt haar schouders op. 'We kunnen het proberen. Ik zal ze wel bellen, maar eerst wil ik de honden terugbrengen bij hun baasjes. Dat vind ik eerlijk gezegd wat belangrijker op dit moment, jullie niet?'

Melle en Justa knikken. Daar zijn ze het wel mee eens, maar ook Justa is heel erg verbaasd over wat Jantien hun zojuist vertelde. Opgewonden draait ze met haar handen strengetjes in haar haren.

'Ik vind het onbegrijpelijk dat mensen op zo'n manier geld willen verdienen!'

Melle kijkt snel naar Stakker en Sambal, die al die tijd in een hoekje van het kantoor hebben gelegen. Ze lijken zich niet echt druk te maken om wat er allemaal om hen heen gebeurt, ze zijn zo moe van het hele avontuur dat ze nu alleen nog maar willen uitrusten.

Gelukkig maar, denkt Melle, want hij schaamt zich behoorlijk. Hij heeft Stakker beloofd dat ze het in Nederland veel beter zou krijgen dan in Spanje, dat de mensen hier allemaal heel goed zijn voor honden. Maar daarin heeft hij zich dus vergist.

'Hè, verdorie, wat vervelend nou!' Jantien legt de hoorn van de telefoon met een harde klap neer. Ze kijkt teleurgesteld.

'Het telefoonnummer dat ik heb gevonden van de baasjes van Pippa werkt niet meer,' zegt ze. 'Ik krijg alleen maar een piep te horen als ik het nummer draai. Het is niet meer in gebruik.'

'Maar hoe heten ze dan? Kunnen we ze niet opzoeken in het telefoonboek? Of op internet?' vraagt Justa.

Jantien schudt teleurgesteld haar hoofd.

'Ze heten De Vries met hun achternaam,' antwoordt ze. 'Weet je wel hoeveel mensen er De Vries heten? Het is geloof ik de meest voorkomende achternaam in Nederland. Dat duurt weken voordat we die vinden!'

Justa geeft het niet op. 'Hebben ze misschien ook een mobiel nummer?' vraagt ze.

Jantien zoekt op het computerscherm en kijkt bedrukt. 'Dat staat niet bij ons geregistreerd. Het woonadres dat hier staat klopt ook niet meer, ze zouden op de Bergweg moeten wonen, maar ik weet toevallig dat de woningen op de Bergweg vorig jaar zijn gesloopt! Ze bouwen daar nu een winkelcentrum.'

'Dan zijn ze zeker verhuisd,' zegt Melle, 'en hebben een nieuw telefoonnummer gekregen.'

Jantien knikt. 'Ja, maar dat is niet aan ons doorgegeven. Dus hoe moet ik ze nu bereiken?'

Daphne komt samen met Hummeltje het kantoortje binnen. De actrice had haar hondje tijdens de zoektocht met de auto thuis achtergelaten. Ze is haar snel gaan halen nadat ze de rest bij De Kwispelstaart had afgezet.

'Wie moeten jullie bereiken? Is er een probleem?' vraagt ze nieuwsgierig. Hummeltje staat kwispelend naast haar.

Melle legt haar uit wat er aan de hand is. Zodra hij is uitverteld, begint ze geheimzinnig te glimlachen. Ze haalt haar mobieltje uit haar handtasje.

'Is dat alles? Jullie kunnen het baasje van Pippa niet vinden? Laat dat maar aan mij over, dat varkentje heb ik zo gewassen.' Ze toetst iets in op haar mobieltje, maar voordat ze het naar haar oor brengt, wendt ze zich tot Melle. 'Zeg, Melle, je hebt vanmiddag toch niet iets belangrijks te doen? Want ik heb je even nodig voor wat kleine dingetjes,' zegt de actrice geheimzinnig. Melle schudt verbaasd zijn hoofd. Daphne loopt glimlachend naar buiten en begint druk te bellen. Na een kwartiertje komt ze tevreden terug. 'Het is voor elkaar. De nationale zoektocht naar Pippa's baasjes begint vanavond. We komen namelijk op tv, bij *Nieuws vandaag*.'

Een uur later is het voor de deur van De Kwispelstaart een drukke bedoening. Mannen en vrouwen met camera's en microfoons lopen heen en weer en praten druk met elkaar en met Daphne. De actrice heeft Hummeltje onder haar arm genomen en loopt van binnen naar buiten en van buiten naar binnen. Ze staat iedereen glimlachend te woord. Het is goed te merken dat ze gewend is aan dit soort dingen.

Jantien vindt het allemaal prachtig. Ze loopt rond met koffie en koekjes en zorgt ervoor dat alle televisiemensen een rondleiding krijgen door het asiel.

'Dit is geweldige reclame voor ons, misschien komen er nu ook wel een hoop mensen voor onze dieren!' Haar twee kantoorkatten denken er een beetje anders over. Ze liggen niet meer te slapen op de balie, maar zijn inmiddels verhuisd naar de stoel erachter. Af en toe kijken ze verstoord op.

Stakker drukt zich tegen Melles benen aan. Melle geeft haar een aai. 'Wat is er, Stakker? Vind je het niet leuk?'

Ze steekt haar snuit in zijn hand. 'Ach, het is wel een gedoe allemaal. Komen Sambal en ik straks ook op televisie?'

'Ik denk het wel. Of willen jullie soms niet?' vraagt Melle.

'Waf,' blaft Stakker, 'het maakt mij niet uit, zolang ik maar bij jou ben.'

'Woef!' blaft Sambal zwaar, 'ik ben vroeger al zo vaak gefilmd toen ik nog bij de politie zat. Dat is niets nieuws voor mij hoor, ik heb daar geen enkele moeite mee!' Hij gaat zitten en begint zijn vacht schoon te likken.

Melle kijkt vragend naar Stakker. 'Is Sambal soms een beetje ijdel?' vraagt hij haar zachtjes. Als antwoord duwt ze haar kop opnieuw tegen zijn benen aan.

Melle lacht stilletjes in zichzelf. Die Sambal!

Hij draait zich om en kijkt zoekend rond. Justa had gezegd dat ze naar de wc ging, maar dat is alweer een poosje geleden. Waar is ze gebleven?

'Zoek je Justa?' vraagt Stakker. 'Ik denk wel dat ik weet waar ze naartoe is gegaan.' Ze loopt voor hem uit naar de deur die leidt naar het kennelgedeelte van het asiel. Melle loopt mee en opent de deur. Ze komen in een halletje waar aan weerszijden kennels zijn gebouwd. Hij hoeft niet lang te zoeken. Daar zit Justa, in de eerste kennel aan de rechterkant. Pippa ligt languit naast haar, met haar puppy's aan haar buik. Ze drinken.

Melle blijft voor de kennel staan, hij wil de drinkende pups niet storen.

Justa kijkt op. 'Lief, hè?' zegt ze. Melle knikt.

'Wil je straks ook worden geïnterviewd?' vraagt hij.

Justa trekt een vies gezicht. 'Nee hoor, dat is niks voor mij. Vertel jij alles maar, jij bent tenslotte veel bijzonderder dan ik. Als jij niet met honden zou kunnen praten, hadden we de hondendief nooit kunnen opsporen.'

Melle haalt zijn schouders op. 'Dat weet ik niet, hoor. Bovendien, jij hebt toch hartstikke goed meegeholpen? Als jij niet bij de hondendief had aangebeld, hadden we de honden nooit kunnen redden.'

Justa is vasbesloten. 'Ik wil niet op tv. Doe jij dat maar,

samen met Daphne. Voor mij is het belangrijker dat we de baasjes van Pippa opsporen.'

Pippa kijkt even op als ze haar naam hoort. 'Wef!' blaft ze. Haar puppy's drinken gewoon door.

Op tv

'Nog maar vijf minuten, jongens! Kom, het is bijna zover!' Oma waarschuwt Melle en Justa, die net de tuin in komen lopen na een wandelingetje met de honden. Ze hebben met zijn allen lekker gegeten in de tuin van Daphne. Ze had erop gestaan hen allemaal uit te nodigen, maar toen Melles oma hoorde dat de gastvrouw eten wilde bestellen bij een restaurant, had ze voorgesteld zelf iets lekkers klaar te maken.

'U hebt een prachtige grote keuken, laat mij maar mijn gang gaan, zo kan ik tenminste ook nog iets bijdragen!' En als er iets is waar Melles oma goed in is, dan is het wel koken. Ze hadden gesmuld van de heerlijke tomatensoep, eiersalade en gebakken aardappeltjes.

Na de spannende en drukke dag was het smakelijke eten zeer welkom geweest. Melle en Justa hadden daarna nog net genoeg tijd om de honden uit te laten, voordat de uitzending van *Nieuws vandaag* begint. Iedereen zit al vol ongeduld te wachten voor het grote televisiescherm, dat speciaal voor de gelegenheid buiten in de tuin is neergezet.

'Hè hè, daar zijn jullie eindelijk. Wat bleven jullie lang weg!' zegt Lieke. 'Hadden jullie soms iets beters te doen dan naar jezelf op televisie kijken?' plaagt ze.

Melle wordt rood. Waarom zegt zijn zus nou zoiets? Hij kijkt schuin naar Justa.

'Nou, toevallig wel ja,' zegt Justa. 'Sambal moest ontzettend nodig poepen. En hij wilde het liever niet in de mooie tuin van Daphne doen.'

Iedereen lacht, Melle ook. Wat een goed antwoord van Justa. En het was nog waar ook!

'Nou, gaan jullie dan maar snel zitten, want het programma kan elk moment beginnen.' Daphne duwt hen neer op een stoel en drukt een glas limonade in hun handen. Stakker en Sambal gaan liggen op het gras en worden meteen verwend met een kauwstaafje.

Het bekende melodietje van *Nieuws vandaag* klinkt. Koen zet de televisie harder. 'Nieuws vandaag! Nieuws vanda-haaag!'

De presentator komt in beeld.

'Goedenavond, dames en heren, jongens en meisjes! Vandaag was het een bijzondere dag voor hondenliefhebbers en dierenbeschermers in Nederland.' In beeld komt Twiggy met haar dolblije baasjes. De stem van de presentator legt in het kort uit dat Twiggy sinds enkele dagen was vermist. Dan interviewt hij de baasjes; zij vertellen hoe hun hondje ineens was verdwenen nadat ze haar eventjes hadden vastgebonden aan een paaltje bij de supermarkt.

'Dat doen we al jaren, Twiggy vindt dat helemaal niet erg, ze is het gewend. Maar deze keer was ze weg toen we de winkel uit liepen!' De vrouw moet bijna weer huilen als ze aan dat moment terugdenkt. 'Ik heb haar zo ontzettend gemist! Ze is zo belangrijk voor me, ze zorgt er namelijk voor dat ik me goed voel, geestelijk en lichamelijk!'

Dan komt Daphne aan het woord. Zij vertelt het verhaal over hoe Hummeltje van haar werd gestolen en hoe verdrietig ze was zonder haar.

Uiteindelijk volgt de camera Melle en Stakker. Op het scherm is te zien hoe ze met elkaar 'praten'; met hun lichaam, maar ook met woorden (Melle) en geluiden (Stakker). De presentator legt uit hoe ze Hummeltje hebben gevonden, vastgebonden aan een boom in het park, en dat Melle vervolgens ook met Hummeltje heeft gepraat.

'Dankzij zijn bijzondere talent kwam Melle erachter waar Hummeltje al die tijd door haar ontvoerder verstopt was geweest.'

'Woef! Woef!' Sambal staat op en schudt zijn vacht uit. 'Waarom kom ik helemaal niet in beeld? Ik heb toch ook meegeholpen om Hummeltje te bevrijden?'

'Ssssst! Stil, Sambal, jij komt ook aan de beurt! Ga liggen, joh!' Gelukkig luistert Sambal goed naar Melle en gaat hij direct weer op het gras liggen.

In de beelden die volgen, komen inderdaad alle honden aan bod die een rol hebben gespeeld in het avontuur. De twee andere chihuahua's Fien en Suusje, wier baasjes al onderweg zijn om ze op te halen; Sambal, die stoer voor de deur van De Kwispelstaart heen en weer drentelt, alsof hij alles in de gaten houdt; nogmaals Stakker, terwijl ze zichzelf uitrekt en dan... Pippa en haar pups in de kennel.

De camera zoemt lang in op Pippa, zodat je haar ogen goed kunt zien. Vervolgens komt Jantien in beeld. Ze kijkt recht in de camera en spreekt de kijkers toe.

'Pippa was ook een van de gestolen hondjes. Ze is maar liefst vier maanden ontvoerd geweest en heeft in haar gevangenschap een nestje met vier pups gekregen. Ze maken het allemaal goed, maar helaas is Pippa nog niet terug bij haar baasje. Wij zijn op zoek naar mevrouw C. de Vries, maar wij kunnen haar niet bereiken en weten niet waar zij woont. Hiervoor hebben wij úw hulp nodig! Als u Pippa herkent en denkt te weten wie mevrouw C. de Vries is, neemt u dan alstublieft contact met ons op, zodat wij Pippa snel naar haar eigen baasje kunnen terugbrengen.'

Onder het hoofd van Jantien verschijnt het telefoonnummer en het e-mailadres van dierenasiel De Kwispelstaart in beeld.

'Nieuws vandaag! Nieuws vanda-haag!' Het melodietje van het programma klinkt weer, de studio komt in beeld en de presentator gaat over op een ander onderwerp.

Koen zet de televisie zachter.

'Wat een goed einde!' roept Ina uit.

'Ja, echt mooi gezegd door Jantien,' beaamt Lieke. 'Dat moet wel iets opleveren, naar dit programma kijken veel mensen en het wordt vanavond laat herhaald.'

Koen kijkt trots naar Melle. 'Nu ben je weer in het nieuws gekomen, Melle. Ik zei je toch dat alle aandacht nog niet was afgelopen? Als we niet uitkijken word je straks nog een Bekende Nederlander!'

Melle legt zijn hoofd in zijn handen en kijkt naar de grond. Hij is nog een beetje beduusd van de uitzending. Om jezelf zo terug te zien op televisie is best raar. Toen hij die middag gefilmd werd, had hij dat nog niet zo in de gaten. Maar nu is het opeens helemaal echt. Iedereen heeft hem kunnen zien.

Iemand legt een arm om zijn schouder. Het is Justa. 'Hé, wat is er? Het was toch te gek, de uitzending? Je deed het supergoed, joh! Daar hoef je je toch niet voor te schamen?'

Melle kijkt op. 'Ik schaam me ook niet. Maar het is wel een beetje gek, om jezelf zo te zien. En dan het hele verhaal erbij te horen. Ik kijk televisie en wat ik zie gaat gewoon over míj. Dat is best...' Hij zoekt naar het juiste woord. '... ánders.'

Justa lacht. 'Nou en? Je hebt toch ook een heel apart verhaal te vertellen? En het is ook nog eens voor het goede doel. Nu gaan er vast een heleboel mensen een hond halen uit een asiel. En hopelijk vinden we snel de baasjes van Pippa!'

Daphne staat al met de telefoon in haar hand.

'Jantien heeft beloofd ons direct in te lichten zodra er mensen over Pippa bellen. Wedden dat ze ons zo belt? Ik voel gewoon dat er iets staat te gebeuren!'

Drie kwartier later is er nog steeds niet gebeld. Daphne loopt nerveus heen en weer, met de telefoon in haar hand. Oma en Lieke zijn de afwas maar gaan doen. De rest zit stilletjes en een beetje teleurgesteld in de tuin. Als er nu niet snel gebeld wordt, zullen de baasjes van Pippa de uitzending vast niet hebben gezien.

Melle ziet dat Stakker en Sambal verderop in de tuin aan het stoeien zijn. Ze rollen en draaien om elkaar heen; Sambal ligt voornamelijk en Stakker springt om hem heen en daagt hem uit, buigend door haar voorpoten, haar kop laag en haar achterkant hoog. Melle glimlacht en vergeet even dat hij wacht op een telefoontje. Wat is het een leuk gezicht om de honden te zien spelen!

Ding-dong! Ding-dong!

De deurbel galmt door het huis en de tuin.

'Waf! Woef!' blaft Sambal en hij staat op. Stakker doet een paar passen naar voren, haar oren staan rechtovereind.

'Wef! Wef!' keft Hummeltje en ze rent stoer naar de voordeur. Dat is voor Daphne het signaal om ook in beweging te komen.

'Zou het Jantien zijn? Maar ze zou me toch eerst bellen!' roept ze uit terwijl ze naar de deur loopt.

Melle loopt haar nieuwsgierig achterna, Stakker en Sambal volgen hem op de voet. Daphne zwaait de grote voordeur open. Op de stoep staat een jonge man, hij is behoorlijk lang en heeft blond, halflang haar.

'Frits!' roept Daphne verbaasd uit. 'Dat is lang geleden! Wat kom jij op een raar tijdstip langs? We hadden toch geen afspraak gemaakt voor vandaag?' Ze begroeten elkaar met drie zoenen en Daphne laat de lange blonde man binnen.

Frits steekt zijn hand op naar Melle ter begroeting. Hummeltje springt tegen zijn benen op en krijgt een aai.

Ze kennen elkaar, denkt Melle, een beetje teleurgesteld. Gewoon een kennis die toevallig op bezoek komt.

'O, Melle, dit is Frits, mijn kapper. Frits, dit is Melle, een nieuwe jonge vriend van me.' Daphne stelt hen aan elkaar voor.

Frits geeft hem een hand en knikt. 'Ik weet al wie je bent, ja, ik heb net alles op televisie gezien,' zegt Frits. 'Daarom ben ik ook zo snel mogelijk langs gekomen.'

Daphne kijkt verbaasd. 'Hoe bedoel je dat zo?'

Frits lacht. 'Zet de champagne alvast maar koud, want ik heb goed nieuws voor jullie. Ik ken het baasje van Pippa, ze is een klant van me!'

Toeval bestaat niet

'Ik was toevallig thuis, eigenlijk zou ik vanavond uit eten gaan met een vriendin, maar die belde me vanmiddag op dat ze niet lekker was. Anders had ik de uitzending helemaal niet gezien! Maar nu was ik thuis en had ik de tv aangezet. Bij de aankondiging van *Nieuws vandaag* zag ik jou al voorbijkomen.' Frits knikt met zijn hoofd naar Daphne. 'Dus bleef ik kijken.'

Melle heeft goed geluisterd naar wat Daphnes kapper zojuist heeft verteld. Een van zijn vaste klanten, Carla, een zanglerares op het conservatorium, vertelde hem twee maanden geleden dat ze haar hondje kwijt was, een kleine bruine chihuahua. Frits had dat onthouden omdat de vrouw er helemaal kapot van was. Drie weken geleden hadden ze weer een knipafspraak, maar toen had ze hem afgebeld omdat ze onverwacht naar Oostenrijk moest voor haar werk. 'Ik durfde niet te vragen of ze haar hondje al terug had, want ik was bang dat ze weer in tranen zou uitbarsten!' zegt Frits. 'Maar ik hoorde later van een vriendin van Carla dat het hondje nog steeds niet terecht was.'

Ondanks de blijdschap dat Pippa's baasje terecht is, zit Melle toch iets niet lekker.

'Hoe weet je zeker dat Pippa echt het hondje is van die Carla? Want je hebt het hondje toch nog nooit gezien? Ze heeft je alleen maar over haar verteld.'

Frits glimlacht geheimzinnig. 'Goed opgemerkt, Melle. Dat kan ik inderdaad niet zeker weten. Er lopen wel meer bruine chihuahua's rond. En juist daarom heb ik eerst het dierenasiel gebeld voordat ik hierheen kwam. Carla had me namelijk verteld dat ze was vergeten door te geven aan haar dierenarts dat ze enkele maanden geleden was verhuisd. Ze woonde eerst op de Bergweg.'

Aha! Melle snapt het meteen. Justa ook, ze stoot hem aan. 'Dat was het adres dat op de chip stond! Dan moet het wel Pippa's baasje zijn!'

'Wat is eigenlijk haar achternaam?' vraagt Melle, terwijl hij zich afvraagt waarom hij dat niet meteen heeft gevraagd.

Frits' glimlach wordt nu nog breder. 'De Vries. Carla de Vries.'

Daphne belt Jantien op, die natuurlijk al wist dat Pippa's baasje terecht was. Frits had haar na afloop van hun telefoongesprek beloofd om direct naar de actrice te gaan en het goede nieuws te vertellen. Het was voor Jantien dus niet nodig geweest om hun op te bellen.

'Ik heb na Frits' telefoontje trouwens nog een bezoekje gehad,' zegt Jantien, 'van de politie. Ik had ze vlak voor de uitzending al opgebeld om te vragen of we aangifte kunnen doen van de gestolen honden. Na de televisie-uitzending zijn ze zelf direct langsgekomen. Ze wilden van alles weten over de hondendief en hoe Melle de honden heeft bevrijd. Nou, daar had ik even geen puf meer voor, hoor, ik ben bekaf van deze drukke dag!'

De politie wilde in elk geval de volgende middag terugkomen en had Jantien gevraagd of Melle dan ook aanwezig kon zijn. 'Ik heb gezegd dat ik daarvoor zou zorgen. Melle wil toch wel komen? Ik ben erg blij dat ze het serieus nemen en dat ze achter de hondendief aan willen gaan. Het gebeurt niet vaak dat de politie iets doet aan dit soort dingen. Maar door de televisie-uitzending staat dit hele gedoe nu flink in de aandacht!'

Melle slikt als hij het hoort. Met de politie praten? Kan hij wel vertellen wat er allemaal is gebeurd? Het 'inbreken' in de hondenschuur; het openmaken van de hondenkennel; de aanval van Sambal op de hondendief... Zijn die dingen allemaal toegestaan? Hij herinnert zich de woorden van de hondendief: 'Hij heeft onze honden gestolen, daarvoor kan ik de politie waarschuwen!' Had de man daar misschien gelijk in?

Justa knijpt hem zachtjes in zijn arm. 'Ik ga morgen wel met je mee, hoor. Mij mogen ze ook vragen stellen. We zeggen gewoon de waarheid; we hebben tenslotte niks ergs gedaan.'

Melle kijkt haar twijfelend aan. 'Weet je dat zeker? En het weghalen van de hondjes, dan? En Sambal, die de man heeft gebeten?'

Justa haalt laconiek haar schouders op. 'Wij haalden de hondjes weg omdat ze gestolen waren! En Sambal heeft niet eens doorgebeten, hij viel hem aan uit verdediging en ter bescherming van jou. Bovendien, de hondendief heeft niet alleen de honden, maar ook jou ontvoerd!'

Melle knikt. Het klopt, denkt hij, wat wij hebben gedaan is veel minder erg dan wat de hondendief heeft gedaan. Bovendien hebben wij het gedaan om de honden te rédden, dat is een heel goede reden!

Sambal de Stoere

‘Heb jij ook zo gedroomd vannacht?’ Terwijl Melle en Stakker samen hun ochtendrondje lopen herinnert Melle zich een paar van zijn dromen van de afgelopen nacht. Hij zat opgesloten in een cel, samen met een heleboel honden, en ze konden er niet uit komen. Wat een benauwd gevoel had hij gekregen, het leek wel een nachtmerrie. Maar even later droomde hij iets heel anders: Stakker en hij dansten samen de tango tijdens een danswedstrijd, en ze wonnen de eerste prijs! Melle schiet in de lach als hij daaraan terugdenkt. Stel je voor, hij kan niet eens stijldansen!

Stakker kijkt hem verbaasd aan. ‘Waf! Ik heb helemaal niks gedroomd. Ik heb heerlijk geslapen en dat is niet zo gek ook, want ik was doodop!’

Melle knikt. ‘Ja, ik ook. Maar ik heb weleens gehoord dat je in je dromen alles verwerkt wat je die dag hebt meegemaakt. Dus het is eigenlijk wel logisch dat ik vannacht zoveel heb gedroomd.’

‘Woehoeeee!’ Stakker kijkt achterom en geeft een enthousiaste, langgerekte blaf, het lijkt wel een beetje op het geloei van een koe!

Melle draait zich om en ziet waarom Stakker zo opgetogen is: Sambal en zijn baas Johan komen hen achterna. Melle wacht even totdat ze hen hebben ingehaald.

‘Goeiemorgen! Wat fijn dat ik jullie tegenkom, ik was juist naar je op zoek, Melle,’ zegt Johan. Sambal en Stakker begroeten elkaar op hun eigen, hondse manier en blijven kwispelend bij hen staan. De automonteur legt een hand op Melles schouder. 'Ik heb gisteren de uitzending gezien, en ik begreep eindelijk waarom Sambal de hele dag weg is gebleven! Je ouders hadden me gistermiddag wel ingelicht, maar ik snapte maar weinig van hun verhaal. Je weet dat ik het prima vind als Sambal bij jullie is, maar ik begrijp dat hij gisteren wel wat meer heeft gedaan dan alleen maar wandelen en spelen!' Hij kijkt trots naar zijn hond en geeft hem een paar klopjes op zijn rug.

Melle glimlacht. 'Ja, Sambal heeft gisteren zelfs mijn leven gered.'

'Je léven gered?' Johan kijkt verbaasd.

'Nou ja,' zegt Melle, 'zo ongeveer dan. Als Sambal er niet was geweest en de hondendief niet had bedreigd, was ik waarschijnlijk ontvoerd geweest.'

'Hè?' Johan kijkt hem ongelovig aan. 'Jij, ontvoerd? Ik dacht dat het ging om gestolen hondjes!'

Melle knikt. 'Ja, dat is ook zo. Maar toen we de hondjes wilden bevrijden, heeft de hondendief mij gesnapt en meegenomen. En als Stakker en Sambal me niet hadden geholpen, had ik nu waarschijnlijk nog in dezelfde schuur als de honden opgesloten gezeten.'

Johan is even sprakeloos. Hij kijkt met bewondering naar de twee honden. 'Wat een verhaal! Maar dat hebben ze niet verteld op televisie!'

Melle stopt zijn handen in zijn zakken. 'Dat komt omdat ik dát nog niet had verteld. Ik was bang dat Sambal anders misschien in de problemen zou komen. Hij heeft de man namelijk wel aangevallen. En gebeten.'

Johan grijnst. 'Ja, natuurlijk! Daar is hij immers voor opgeleid, om misdadigers aan te vallen. Dat was zijn werk toen hij nog een politiehond was!'

Melle grijnst opgelucht. Johan geeft Sambal en Stakker een stevige aai, en schudt meewarig zijn hoofd. 'Het is me wat, dat hele gedoe met die hondendief. Ongelooflijk dat mensen tot zoiets in staat zijn, en dan nog wel in onze eigen stad!'

Hij kijkt op zijn horloge. 'Zeg, ik moet eigenlijk aan het werk. Wil je dat Sambal vandaag weer bij jou blijft? Dat is misschien wel zo prettig, na het hele avontuur van gisteren. Het komt mij ook wel goed uit, want ik moet vandaag een paar uur de deur uit voor mijn werk.'

'Prima,' zegt Melle, 'dan brengen we hem vanavond wel weer terug.'

Stakker en Sambal zijn intussen begonnen met een stoeipartijtje.

Een uurtje later, het is inmiddels elf uur, belt Melle aan bij het huis van Justa. Zijn vader wacht op hem in de auto die vlakbij geparkeerd staat. Stakker en Sambal zitten in de achterbak. Koen zal straks doorrijden naar De Kwispelstaart om hen daar af te zetten voor de afspraak met de politie.

Het is de eerste keer dat Melle bij Justa thuiskomt. Haar huis lijkt wel een beetje op zijn eigen huis, denkt hij. Maar dan met grijze bakstenen, in plaats van bruine.

Justa doet zelf open. Hé, kijk! Pippa staat kwispelend achter haar.

Melle hurkt neer en begroet het moederhondje. Hij kijkt omhoog naar Justa. 'Hoe is het gegaan, vannacht?' vraagt hij nieuwsgierig. 'Hebben je ouders er geen spijt van gekregen dat jullie Pippa en haar pups zolang bij jullie thuis opvangen?'

Justa komt naast hem zitten en aait het bruine hondje. 'Nee

hoor, ze vinden de hondjes heel lief. Ze zijn geloof ik wel onder de indruk van wat ik heb meegemaakt. In elk geval hebben ze echt medelijden met de diertjes.'

'Hoe lang moeten ze eigenlijk bij jullie blijven? Weet je daar al iets meer over?' vraagt Melle terwijl hij Pippa achter haar oortje kriebelt.

Justa knikt. 'Mijn ouders hebben gisteravond laat nog met Carla de Vries gesproken. Nadat Frits haar in Oostenrijk had opgebeld om te zeggen dat Pippa was gevonden, is ze direct een ticket gaan boeken. Ze vliegt vandaag al terug, maar komt pas laat aan. Misschien, als Pippa vanavond of morgen door haar wordt opgehaald... Nou, misschien... Ik hoop echt dat ik een van de pups mag houden!'

'Ja? Dat zou super zijn!' Melle begrijpt heel goed dat Justa een van de kleine hondjes wil houden. Als hij Stakker niet had, zou hij dat ook wel willen.

Justa raakt even zijn arm aan en kijkt hem serieus aan. 'Zou je mij kunnen leren om met honden te praten?' vraagt ze. 'Ik zou dat zó graag willen!'

Melle denkt na. Het gaat bij hem bijna vanzelf, het praten met honden. Hoe kan hij iemand anders leren wat bij hem zomaar vanzelf gebeurt? Waar zou hij moeten beginnen? Hij haalt zijn schouders op. 'Ik weet niet of ik het je kan leren. Ik wil het wel proberen. Maar als het niet lukt, moet je niet teleurgesteld zijn.'

Justa glimlacht. 'Al leer ik het maar een klein beetje, dan ben ik al tevreden. Bedankt, Melle!'

Ze staan op en Justa loopt voor hem uit naar de keuken, waar de pups in een lekkere zachte mand liggen te slapen. 'Pippa heeft ze net nog laten drinken, dus ze zijn lekker moe. Ik heb ze ook al een naam gegeven.' Ze wijst ze een voor een aan: 'Flipje, Joepi, Emmy en Eefje. En als ik er een mag houden, dan wil ik Emmy! Die is zoooo schattig!'

Melle vindt zelf Joepi de leukste, dat is de pup die uit de mand was gevallen en die hij van de grond had opgeraapt. Die ziet er zo stoer uit met die grijze vlek om zijn ene oog! Maar dat zegt hij niet hardop. Justa zal wel een andere smaak hebben dan hij.

'Mijn vader zit in de auto op ons te wachten, ben je klaar om mee te gaan?'

Jantien begroet hen hartelijk zodra ze De Kwispelstaart binnen lopen. De twee kantoorkatten liggen te luieren op hun vertrouwde plek op de balie, in precies dezelfde houding als de vorige keer.

'Kopje thee? Koekje erbij?'

Jantien is in een zeer goed humeur. 'Jongens, ik heb vandaag al twee honden en een poes geplaatst! En het regent e-mailtjes van mensen die graag langs willen komen om een dier uit te zoeken... Ik ben zo blij!'

Net als ze aan de thee zitten, gaat de deur open. Twee agenten stappen naar binnen. Ze zijn gekleed in uniform.

'Goedemiddag!' zegt de oudste van de twee. Hij loopt met uitgestoken hand op Jantien af. 'We hebben elkaar gisteren al even gesproken.' Nieuwsgierig kijkt hij naar de rest. 'Dan zijn jullie zeker het bijzondere opsporingsteam dat zulk goed werk heeft geleverd?' Zijn blik gaat van de een naar de ander. Bij Sambal, die als laatste aan de beurt is, blijven zijn ogen wat langer hangen. Hij kijkt hem onderzoekend aan, schudt dan even zijn hoofd alsof hij iets raars dacht, en kijkt opnieuw naar Melle.

'De hondenprater, Melle de Vriend, nietwaar? Aangenaam kennis te maken, ik ben agent Jan van Hoop.'

Melle staat op en geeft de agent een hand. Hij krijgt een ferme handdruk. Dan is Justa aan de beurt, die ook is gaan staan. De jonge agent doet een stap naar voren en volgt het voorbeeld van zijn collega. 'Agent Marcel de Jong,' stelt hij zich voor.

Jantien komt met twee stoelen achter de balie vandaan. 'Gaat u toch zitten! Ook een kopje thee?'

De twee agenten nemen plaats tegenover Melle en Justa. Agent Jan van Hoop pakt een opschrijfboekje en een pen uit zijn borstzak en geeft die aan zijn jonge collega. 'Maak jij deze keer notities, Marcel?'

Agent Marcel neemt het van hem aan en knikt. Hij schrijft meteen de datum en de tijd op, ziet Melle.

'Zo, jonge vrienden, jullie hebben gisteren heel wat meegemaakt,' begint agent Jan van Hoop. 'Ik heb zelf nog niet de televisie-uitzending gezien van *Nieuws vandaag*, maar mijn collega's op het bureau hebben me goed ingelicht. Het lijkt alsof de zaak veel mensen interesseert. We hebben al diverse telefoontjes gehad met de vraag of we deze zaak gaan onderzoeken.' Hij kucht. 'Eh, uiteraard waren we dat al van plan, alleen twijfelden we een beetje aan onze getuigen...' Hij kijkt Melle en Justa veelbetekenend aan. '... Twee kínderen en twee hónden.'

'Grrrr! Woef!' Sambal laat van zich horen. 'Wat bedoelt hij daarmee? Zijn we soms niet betrouwbaar genoeg?'

Agent Jan van Hoop kijkt geïntrigeerd naar Sambal. 'Die hond...' zegt hij zachtjes, alsof hij alleen tegen zichzelf praat, 'hij lijkt sprekend op... Ach nee, dat kan toch niet.'

'Sambal denkt dat u ons niet serieus neemt als getuigen. Heeft hij daar soms gelijk in?' Melle vraagt het maar direct, want hij krijgt net als Sambal een beetje de indruk dat de agenten hen geen goede getuigen vinden.

Agent Jan van Hoop kijkt hem verbaasd aan. 'Sambal? Sambal, zeg je?' vraagt hij ongelovig, in plaats antwoord te geven op de vraag.

'Ja, zo heet deze hond.' zegt Justa ongeduldig.

De agent schuift wat dichter naar de grote hond toe en bekijkt hem nauwkeurig van top tot teen.

Wat is er toch met die agent aan de hand? vraagt Melle zich af.

De oude agent draait zich naar zijn collega om. 'Het is hem, Marcel! Verdomd als het niet waar is! Het is hem! Een hoop kilootjes erbij en een wat dikkere kop, maar het is hem! Sambal de Stoere!'

De agenten beginnen beiden te lachen. Jan van Hoop kletst van enthousiasme met zijn handen op zijn bovenbenen. 'Wel heb ik ooit! Sambal de Stoere! De befaamde politiehond van bureau Spekhoeve.'

Melle en Justa kijken elkaar aan. Sambal de Stoere...?

'Goed, mensen, dit verandert de zaak natuurlijk.' Agent Jan van Hoop heeft zijn gezicht weer in de plooi en vervolgt zijn verhaal. 'Omdat een van de twee honden Sambal de Stoere is, zoals jullie vast weten ooit één van de best getrainde politiehonden in Nederland en inmiddels met pensioen, hebben wij geen twijfels meer aan jullie verhaal. Sambal weet heel goed boeven te herkennen. Er moet dus iets niet pluis zijn in deze toestand. Bovendien...' de agent wacht even om de aandacht te trekken. '... bovendien hebben we vanochtend op het bureau een telefoontje gekregen dat ook erg heeft geholpen om deze zaak te bespoedigen.'

Het gaat nu allemaal wel erg snel, vindt Melle. 'Wacht even, wat voor telefoontje bedoelt u? En hoe kent u Sambal dan eigenlijk? Hebt u soms vroeger met hem gewerkt?'

Agent Jan van Hoop lacht uitbundig. 'Haha! Nee zeg, het idee! Sambal was de hond van een speciale afdeling die criminelen op heterdaad betrapte. Ik heb nooit bij die afdeling gezeten, dat was mij te gevaarlijk. Maar de verhalen over Sambal deden op alle afdelingen de ronde. Hij was een hond die voor niets en niemand bang was. Vandaar zijn bijnaam, Sambal de Stoere!'

Melle en Justa kijken elkaar aan en vervolgens naar Sambal, die er trots bij ligt. Ze zijn niet verbaasd deze dingen over hem te horen. Ze hebben zelf immers meegemaakt hoe stoer en moedig Sambal kan zijn.

Stakker kruipt nog dichter tegen haar grote vriend aan. 'Dat heb je me nooit verteld, dat je zo beroemd was!' gromt ze.

'Woef!' blaft Sambal. 'Waarom zou ik? Dat was vroeger zo, maar nu ben ik maar een gewone garagehond. Ik laat stinkscheetjes en ik ben bovendien een beetje te zwaar.'

Stakker geeft hem een lik. 'Rare kwibus! Zo sterk en moedig, en dan toch zo bescheiden!'

'Het telefoontje waar ik het over had,' gaat Jan van Hoop verder, 'betreft een mevrouw die vanochtend belde. Ze wilde aangifte doen van hondendiefstal, ontvoering en van het illegaal doorverkopen van pups.'

Melle denkt even na over deze informatie. 'Was ze soms het baasje van een van de gestolen hondjes? Van Fien, of van Suusje? Wilde ze aangifte doen omdat haar hondje was gestolen?' vraagt hij. De agent schudt zijn hoofd.

'Nee, ik bedoel dat deze mevrouw zichzélf wilde aangeven. Samen met haar man, heeft zij die dingen allemaal gedaan. Zij zijn de hondendieven.'

Hè?

Het is zó stil in het kantoortje dat je de katten kunt horen spinnen.

'Maar... maar dat is geweldig!' verbreekt Jantien als eerste de stilte. Melle en Justa zijn er helemaal beduusd van en kunnen geen woord uitbrengen. Melle kan het nog moeilijk geloven.

'U bedoelt echt dat de hondendieven zichzelf hebben aangegeven bij de politie?' vraagt hij.

'Klopt.' Deze keer neemt de jonge agent het woord. 'Kennelijk voelden ze zich gisteren na het zien van *Nieuws vandaag* erg schuldig. Dat is tenminste wat de vrouw ons over de telefoon vertelde. Ze voelde zich enorm schuldig over alles. Ze vertelde dat voor haar de druppel was dat ze jou, Melle, hebben opgesloten. Ze kon zichzelf niet meer recht aankijken in de spiegel. Haar man had dat niet zo, maar hij had er toch mee ingestemd dat ze zichzelf zouden aangeven bij de politie. Zijn vrouw had hem namelijk gezegd dat ze anders maar uit elkaar moesten gaan. En dat wilde hij niet.'

Melle is verbolgen als hij dit hoort. 'Dat klopt toch eigenlijk niet! Die man vindt nog steeds dat hij niks verkeerd heeft gedaan! En die vrouw voelt zich alleen maar schuldig door wat ze met mij hebben gedaan! Ze moeten zich juist schuldig voelen over wat ze met de honden hebben gedaan! Dat is veel erger!'

De agenten kijken hem verbaasd aan; zo'n reactie hadden ze niet verwacht.

'Nou,' zegt agent Jan van Hoop, 'ik zie dat je erg boos op hen bent. Ik hoop maar dat je hen goed hebt gezien, want we hebben jullie natuurlijk nog wel nodig als getuigen. Om erachter te komen of zij werkelijk de mensen zijn die we zoeken, en om te weten wát ze precies hebben gedaan. Dus we zouden vanmiddag graag jullie verklaringen willen afnemen op het politiebureau.'

'En wat gebeurt er daarna?' vraagt Melle. 'Gaan jullie de hondendieven ophalen? Krijgen ze een boete? Hoe gaan jullie ze straffen voor wat ze hebben gedaan?'

De agenten glimlachen naar elkaar. 'Daar kunnen we nu nog niks over zeggen. In elk geval moeten we eerst jullie verklaring opnemen, en daarna spreken we de mensen zelf. Misschien dat we ook nog wel spreken met de eigenaars van de gestolen hondjes.'

'Waf! Waf!' Stakker begint te blaffen. De agenten kijken verstoord haar kant op. 'Waf! Waf!' blaft ze nogmaals.

Melle is de enige die hoort wat Stakker blaft. Hij besluit het hardop te zeggen.

'Mijn hond Stakker vraagt zich af of jullie niet beter met de hondjes zelf kunnen praten, zij kunnen toch veel meer vertellen over wat er met ze is gebeurd?'

Jan van Hoop kijkt Melle een beetje wantrouwend aan. 'Maar hoe moeten we met de hondjes praten? Dat kúnnen wij toch helemaal niet?' antwoordt hij fel.

'Maar ik wel.' Melle zegt het kalm en duidelijk.

Jan van Hoop kijkt hem met een priemende blik aan.

Hij gelooft vast niet dat ik met honden kan praten, denkt Melle. Hij denkt vast dat het allemaal onzin is.

Jan van Hoop leest zijn gedachten. 'Ik weet niet of ik je moet geloven, Melle. Het komt me inderdaad een beetje ongeloofwaardig voor, dat je werkelijk met honden kunt praten. Maar goed... Ik wil best probéren je te geloven. Als jij voor ons met de chihuahua's gaat praten zodat wij achter de waarheid komen, dan zijn we je erg dankbaar. En dan... Dan geloof ik je.'

Helden?

'Goedemorgen, luisteraars! Het is weer tijd voor een uitzending van *Koffie verkeerd.* Een heel speciale *Koffie verkeerd* wordt het vandaag! Herinnert u zich nog Melle de Vriend, de jonge hondenfluisteraar die enkele uitzendingen geleden bij ons te gast was? Ongetwijfeld hebt u de afgelopen week ergens op televisie of in de krant vernomen wat hij nu weer heeft meegemaakt. De ontknoping van een hondenontvoering, de bevrijding van negen chihuahua's waarvan de eerste aan een boom zat vastgeknoopt en die bovendien gestolen bleek te zijn van de welbekende actrice Daphne van Duuren!

Luisteraars, het is een avontuur waar een boek over geschreven zou kunnen worden. Maar dat duurt ons te lang! Gelukkig hebben we Melle en zijn vriendin Justa bereid gevonden nog één keer langs te komen in onze studio! Goedemorgen, Melle en Justa.'

'Goeiemorgen, Joris.'

'Wat een spannend leven heb jij, Melle, sinds je kunt praten met honden. Wat vind je er zelf van?'

'Eh, ik vind het natuurlijk geweldig dat ik met honden kan praten. Het is heel leuk. En ik kom dingen te weten die ik anders nooit zou kunnen weten. Maar eerlijk gezegd is het voor mij niet zo speciaal meer, het gaat zo vanzelf dat het lijkt alsof ik het al mijn hele leven kan.'

'Ja, ja, dat zal wel. Maar voor ons, de gewone mensen, haha, is het iets heel bijzonders. Bovendien gebruik je je talent om dierenmisbruik aan te pakken. Dat is helemaal bijzonder! Vind je ook niet, Justa?'

'Eh, ik ken Melle nog maar kort en ik vond het eerst ook heel speciaal dat hij met honden praat. Nu nog steeds natuurlijk, maar ik heb wel geleerd dat iedereen een beetje met honden kan praten. Niet zoals Melle dat kan, want zijn talent is echt heel bijzonder! Melle is me nu wel aan het leren hoe ik honden beter kan begrijpen en "verstaan". Je moet gewoon goed naar de honden kijken, hoe ze bewegen en zo. En je moet je vooral kunnen inleven. Snap je?'

'Luisteraars, horen jullie dat? Goed kijken en je inleven in de hond, dat zijn de sleutelwoorden! Lijkt me niet zo ingewikkeld, eigenlijk. Ik heb gehoord dat Daphne van Duuren zich ook al heeft aangemeld om het te leren. En bovendien heeft de politie Melle verzocht mee te werken aan het onderzoek, ze willen graag dat hij de gestolen hondjes ondervraagt. Fantastisch, Melle! Maar stel dat je het inderdaad ook aan andere mensen kunt leren. Dat er steeds meer mensen zijn die met honden kunnen praten. Kunnen ze dan allemaal zielige hondjes redden en een hondendief opsporen? Net zoals jullie hebben gedaan?'

'Eh, dat weet ik niet. Ik denk wel dat iemand die met een hond kan praten hem ook beter zal begrijpen. En als je een dier beter begrijpt, zul je hem ook beter behandelen. Ik denk dat als een hondendief met honden kan praten en echt zou weten wat hij de honden aandoet, hij ze nooit meer zou stelen en gevangen zou houden!'

'Dat is een mooie gedachte. Ik hoop dat je gelijk hebt, Melle! Maar toch, wat jullie hebben gedaan, is heel moedig geweest. Dat durft vast niet iedereen. Of denk je van wel?'

'Eh...'

'Nou, heb je daar geen antwoord op?'

'Ja, misschien toch wel. Wij hebben dit kunnen doen omdat onze hónden Hummeltje hebben gevonden, die aan de boom vastgebonden zat. Als de honden ons niet naar haar toe hadden geleid, was ze misschien wel verhongerd geweest aan die boom en hadden alle andere hondjes nog gevangen gezeten.'

'Ach, wat aardig van je, je wilt niet zelf met de eer gaan strijken. Je wilt daarmee toch zeggen dat niet júllie de ware helden zijn, maar de hónden? Hoe heten ze ook alweer? Sambal en Jakker?

'Sambal en STAKKER!'

De honden in het echt

Het verhaal over Melle in *De hondendief* heb ik verzonnen, maar veel van de personages, dieren en gebeurtenissen in het verhaal zijn op de werkelijkheid gebaseerd. Helaas worden er in het echt ook honden zomaar ergens achtergelaten, vastgebonden aan een boom. Ook bestaan er hondendieven en slechte hondenfokkers die pups verkopen om er veel geld aan te verdienen. Dierenasielen bestaan natuurlijk ook, het zijn plekken waar je gevonden dieren heen kunt brengen en waar je zelf een dier kunt adopteren.

Kleine, witte Tutti Frutti en trouwe waakhond Bolder zijn vaak aan mijn zijde te vinden

Lekker stoeien en knuffelen, met van links naar rechts: Swieber, Tutti Frutti, ik, Senta, Dido en Chotta

Ik werk al bijna tien jaar in het dierenasiel van APAPA in Ayamonte. Ayamonte is een stadje in het onderste puntje van Spanje, op de grens met Portugal. APAPA is een afkorting van Asociación Protectora de Animales y Plantas de Ayamonte, en dat is Spaans voor Stichting voor de bescherming van dieren en planten in Ayamonte.

In al die jaren dat wij in Spanje wonen, hebben mijn man Michiel en ik al heel veel honden van de straat of uit het asiel mee naar huis genomen. Op dit moment hebben we er vijftien! Gelukkig hebben we een flink stuk land om ons huis heen, waar ze lekker de ruimte hebben om te spelen. En het hondenvoer kan ik via het dierenasiel vaak gratis meekrijgen.

In de loop der tijd heb ik heel veel honden zien komen en gaan in het asiel. Sommige van die honden heb ik uitgekozen voor mijn verhaal. Ze hebben me geïnspireerd tot het schrijven van het boek! De honden Stakker, Sambal, Hummeltje, Twiggy en Pippa bestaan ook echt. Alleen hebben ze, op Twiggy en Hummeltje na, een andere naam dan ze in het boek hebben. Hieronder kun je zien en lezen welke honden model hebben gestaan voor de honden in *De hondendief*.

Stakker

In *Het Spaanse gif*, het eerste deel van *Melle en de zwerfhonden*, stond onze eerste hond Migo model voor Stakker. Helaas is Migo op een nacht in november 2009 spoorloos verdwenen en we hebben hem nooit meer teruggevonden. Migo was een heel slimme, moedige, snelle en lieve hond en we missen hem nog steeds. Hij was heel bijzonder voor ons.

Enkele maanden na Migo's verdwijning zag ik een hond in het dierenasiel die heel erg veel op Migo leek. Zijn naam was Dido. Hij was als pup samen met zijn broertjes en zusjes naar het asiel gebracht, en inmiddels was hij een jaar oud.

Al Dido's broers en zussen waren geadopteerd, op één broertje na. En Dido zelf natuurlijk. Ik heb Dido op een middag mee uit wandelen genomen. Het klikte meteen. Ik liet hem vrij loslopen in het bos, hij vond het heerlijk en rende snuffelend rond. Tegelijkertijd verloor hij me geen seconde uit het oog. Wanneer ik hem riep, kwam hij meteen en duwde hij zijn snuit tegen mijn benen. Ik keek hem in zijn ogen, en toen gebeurde er iets heel bijzonders: ik keek niet alleen in de ogen van Dido, maar ik zag ook weer de blik van onze oude Migo. Toen wist ik het zeker: Dido zou die dag met mij mee naar huis gaan.

Dido leeft nu bij ons met al onze andere honden, en hij is heel gelukkig. En wij ook!

(PS De broer van Dido is inmiddels ook geadopteerd.)

Dido, met op de achtergrond Ghandi

Sambal

Henk stond model voor Melle. Hier zie je hem na een lange wandeling met Gio (Sambal) en Dido (Stakker)

Gio, net aangelijnd om te gaan wandelen. Hij kan niet wachten om te gaan!

Sambal werd enkele jaren geleden naar het asiel gebracht. Zijn echte naam is Gio (spreek uit als 'Djiejo'). Hij was veel te dun, angstig en niks gewend. Hij kwam van een boerderij waar zijn baasjes hem aan een ketting hadden vastgebonden. Hij mocht nooit loslopen, want ze waren bang dat hij op de kippen zou jagen. Arme Gio! Hij had geen leuk leven en kreeg bovendien veel te weinig eten. De baasjes vertelden aan de dierenarts dat ze hem niet meer wilden. De dierenarts heeft hem toen naar het asiel gebracht, omdat hij bang was dat het anders slecht met Gio zou aflopen. In het asiel mocht hij wel vrij rondlopen en hij kreeg ook goed te eten. Hij werd al snel dikker! Eigenlijk wel een beetje te dik, maar ja...

Gio heeft een sterk en rustig karakter en de andere honden in het asiel beschouwen hem als hun leider. Daar hoeft hij verder niks voor te doen: alleen al door zijn verschijning en uitstraling hebben de andere honden respect voor hem. Gio is aanhankelijk, slim en rustig. Een heel bijzondere hond dus, en wij hopen dat er snel iemand komt die hem wil adopteren!

Hummeltje

Hummeltje samen met tweeling Jacob (donker haar) en Silas (blond) in Duitsland. Haar nieuwe familie!

Wie kan er nu zo'n Hummeltje ergens achterlaten op straat?

Op een ochtend liep ze moederziel alleen op straat. Ik kwam haar tegen, ging op mijn hurken zitten en riep haar. Ze kwam direct naar me toe. Ik noemde haar Hummeltje, omdat ze zo klein en mager was. Ze zat onder de vlooien. Hummeltje was een zwerfhondje, dus ik nam haar met me mee. Ze vond het prima dat ik haar in mijn armen nam. In de auto viel ze meteen in slaap. Gelukkig kende ik aardige mensen die wel een poosje voor haar wilden zorgen totdat er een nieuw baasje voor haar was gevonden. Dat is inmiddels gelukt! Hummeltje woont nu in Duitsland en daar wordt er heel veel van haar gehouden! (adoptie via www.hunde-aus-andalusien.de)

Twiggy

O, wat een schattig hondje! Iedereen was direct weg van haar toen ze naar het asiel werd gebracht. Ze was ook heel vrolijk, drentelde overal rond en was helemaal niet bang. Als je haar oppakte, dan likte ze je hele gezicht af. Twiggy is een hondje om te zoenen! Het duurde gelukkig niet lang voordat iemand haar adopteerde, want anders had ik het zelf gedaan. Twiggy kon na een paar weken in het asiel al afreizen naar Duitsland en daar leeft ze nu nog. (adoptie via www.hunde-aus-andalusien.de)

Pippa

Louise, niet heel knap maar wel heel lief!

Moeders mooiste is ze niet. Ze is ook niet het allerliefste hondje dat ik ken, of het allerleukste. Maar ze is wel een hondje dat je niet snel meer vergeet als je haar eenmaal hebt gezien. In het echt heet ze Louise. Ze was door mensen achtergelaten in een ander hondenasiel waar ze in een veel te klein hok was gestopt, samen met haar dochter. We haalden ze daar snel weg en noemden ze Thelma en Louise, omdat ze zulke kleine, dappere hondjes waren die zich, ondanks alle ellende, toch sterk hadden gehouden.

Louise was wel een beetje angstig in het begin, maar ja, wat wil je ook met zoveel pech in je leven! Haar dochter Thelma zag er iets mooier uit dan zij en werd al snel geadopteerd. Omdat we medelijden hadden met Louise, die alleen achterbleef, hebben we lieve mensen gezocht die haar verzorgen en liefhebben tot ze een eigen huis heeft. (opvang via www.hunde-aus-andalusien.de)

Louises dochter Thelma: wat een schatje!

De puppy's van Pippa

Lekker drinken bij mama, mmmmm!

Mijn achternichtje Luka stond model voor Justa. Luka is ook helemaal gek van honden... en deze pup was een van haar lievelingetjes toen ze in het asiel was

Woorden zijn overbodig!

Wat is-ie nog klein!

Informatie over adoptie van honden (en poezen)

Wil je meer weten over dierenasielen? Kijk op www.dierenasiels.com of www.dierenasiel.nl, of zoek een andere website die je kan helpen om meer te weten te komen over het dierenasiel bij jou in de buurt en de dieren die nog op zoek zijn naar een baasje!

Als je een huisdier kwijt bent, kun je contact opnemen met www.amivedi.nl. Deze stichting helpt je je vermiste huisdier terug te vinden.

Bij de stichting Nederlandse Databank Gezelschapsdieren www.ndg.nl kun je je huisdier laten registreren met zijn of haar chipnummer. Als je huisdier ooit een keer wordt vermist, kan deze registratie helpen om hem/haar sneller terug te vinden.

Je kunt ook kijken op de websites van stichtingen die honden uit het buitenland helpen aan een nieuw baasje. Stichtingen waar ons eigen asiel APAPA mee samenwerkt zijn:

www.dierenhulpzondergrenzen.com

www.dutchypuppy.nl

www.greyhoundsrescue.nl

www.hunde-aus-andalusien.de (in Duitsland)

Kater Broes (de onderste) en poes Warry stonden model voor de twee poezen die in asiel De Kwispelstaart lekker op de balie liggen te slapen. Broes en Warry komen zelf ook uit het asiel, maar hebben nu een lekker warm plekje gevonden bij ons thuis!

Dankwoord

Na tien jaar hard werken in een Spaans hondenasiel zijn er weleens momenten geweest dat ik er bijna het bijltje bij heb neergegooid. Bíjna. Want het is best zwaar om altijd met zielige dieren te maken te hebben.

Elke week kom je wel een dier tegen dat is aangereden, mishandeld, ziek is, of dat gewoon de pech heeft gehad op straat te zijn geboren. Je ziet ook veel dieren doodgaan.

Maar gelukkig zijn er ook heel veel mooie en fijne dingen die je meemaakt.

De meeste zielige dieren kunnen we echt helpen. We kunnen ze beter maken, of ze gewoon een schaaltje voer en een knuffel geven. Dat maakt voor dat ene dier namelijk een wereld van verschil.

Het allerfijnste is wanneer er een dier wordt geadopteerd. En als je dan foto's ziet van het dier in zijn nieuwe thuis, liggend in zijn mandje of op de bank, spelend in het bos of op het strand... Dat is geweldig!

Het is ook heel fijn om samen te werken met andere mensen die, net als jij, zo om de dieren geven. Samen krijg je meer voor elkaar en bovendien kun je het verdriet en ook de blije momenten met elkaar delen. Dat is belangrijk.

Daarom wil ik graag iedereen bedanken die ik de afgelopen jaren door dit werk heb leren kennen en die samen met mij heel hard hebben gewerkt voor een beter leven voor vele, vele dieren!

Alice, Angelika, Anna, Annabel, Annette, Arjan, Babeth, Carmen, Carolyne, Claudette, Claudia, Cristina, Cristina De Luna, Derek, Estrella, Frank, Geert, Gonzalo, Hadewij, Herman, Helena, Israel, Janet, Janet Gil, Javier, Johan, John, Juani, Juanma, Judy, Kat, Kuki, Lena, Lia, Lian, Lola, Luz Marie, Maaike, Marcel, Maria Jose, Maria Luisa, Marie Carmen, Marloes, Maud, Menno, Mercedes, Michael, Miranda, Natasja, Pepi, Petra, Phil, Remco, Ria, Rianne, Thea, Ton, Tony, Troudl, Engelse Vanessa, Spaanse Vanessa... Het is maar een kleine selectie van alle mensen die mij inspireren en tot steun zijn, en hopelijk is dat andersom ook zo.

Dank jullie wel voor jullie doorzettingsvermogen en kracht. Laten we nog lang zo doorgaan!

Lieve Michiel, zonder jouw enthousiasme en energie was het verhaal nooit zo geworden als het nu is. Ook was ik niet zover gekomen als waar ik nu ben. Daarvoor wil ik je heel erg bedanken.

Lees ook *Het Spaanse gif*

Melle gaat met zijn ouders en zus op vakantie naar Spanje. Wanneer hij er met zijn verrekijker alleen op uit trekt, ziet hij hoe een hond bijna op een slang stapt. Melle waarschuwt de hond, die dankbaar terugblaft. Tot zijn verbazing hoort Melle geen geblaf, maar echte woorden!

Wanneer Melle over de eerste schrik heen is, vertelt Stakker – zo noemt Melle de vrouwtjeshond – over haar leven als zwerfhond. De inwoners van het dorpje vinden zwerfhonden maar niks. Sommigen proberen ze zelfs te doden met vergiftigd vlees. Maar daar gaan Melle en Stakker nu een stokje voor steken!

ISBN 978 90 499 2320 4